义务教育课程标准实验教科书

物　理

WULI

九年级

课程教材研究所
物理课程教材研究开发中心 编著

人民教育出版社

义务教育课程标准实验教科书

物　理

九　年　级

课 程 教 材 研 究 所　编著
物理课程教材研究开发中心

*

人民教育出版社 出版发行

网址：http://www.pep.com.cn

北京市大天乐印刷有限责任公司印装　全国新华书店经销

*

开本：787 毫米×1 092 毫米　1/16　印张：10.75　字数：200 000
2006 年 3 月第 3 版　2011 年 5 月第 19 次印刷
ISBN 978-7-107-15580-2
G·8670（课）　定价：10.45 元

学 科 编 委 会：

主　　　　任：张大昌

副　主　任：宣桂鑫

主　　　编：彭前程

副　主　编：杜敏

本册编写人员：杜　敏　付荣兴　谷雅慧　黄恕伯　雷　洪　苗元秀

彭前程　曲　石　孙　新　张大昌　张　颖

绘　　　图：王凌波　北京百网信息有限责任公司

责 任 编 辑：杜　敏　彭　征

版 式 设 计：马迎莺

目 录

古老而现代的力学

第十一章　多彩的物质世界

　　地球上有高山、大海、空气，有树木、花草、鸟兽，有人类赖以生存的衣、食、住所需的生活用品，这些都是物质。浩瀚的宇宙中有数不清的星体，如太阳、月亮等，它们也都是物质。

　　你想了解物质世界的构成吗？不同物质的属性，例如大小、形状、颜色、质量、电特性、磁特性等方面，是千差万别的。让我们由浩瀚的宇宙走进微观世界，共同认识这多姿多彩的物质世界吧！

阅读指导

　　学过本章以后，你就会明白以下问题。

一、宇宙和微观世界
　　宇宙是由什么组成的？固态、液态、气态的分子组成各有什么特点？原子是由什么组成的？

二、质量
　　质量的单位是什么？怎样使用天平？

三、密度
　　同种物质的质量和体积有什么关系？什么是密度？

四、测量物质的密度
　　怎样使用量筒？怎样用量筒测量不规则形状物体的体积？怎样测量物质的密度？

五、密度与社会生活

一　宇宙和微观世界

宇宙是由物质组成的

目前，我们人类观测到的**宇宙**（universe）中拥有数十亿个星系，**银河系**（Galaxy）只是这数十亿个星系中的一个。银河系异常巨大，一束光穿越银河系需要十万年的时间。**太阳**（Sun）不过是银河系中几千亿颗恒星中的一员。太阳周围有水星、金星、地球、火星、木星、土星、天王星、海王星等行星绕它运行，**地球**（Earth）在离太阳比较近的第三条轨道上，此外还有若干其他天体绕太阳转动。

图11.1-1　广阔的宇宙有数十亿个星系

图11.1-2　太阳只是银河系中一两千亿颗恒星中的一员，地球是太阳系中的一颗普通行星。

地球及其他一切天体都是由物质组成的，物质处于不停的运动和发展中。

人类对太阳系及整个宇宙的探索，经历了漫长的过程，随着科学的不断进步，这种探索会越来越深入。

物质是由分子组成的

广阔无垠的宇宙大得难以想象，那么，构成物质的小微粒究竟小到什么程度呢?

如果把玻璃杯打碎了，碎片还是玻璃。经过多次分割，甚至碾成粉末，颗粒越分越小。如果不断地分割下去，有没有一个限度呢?

分子

使用电子显微镜观察

图11.1-3 能不能无限分割下去?

科学研究发现，任何物质都是由极其微小的粒子组成的，这些粒子保持了物质原来的性质，我们把它们叫做**分子**(molecule)。如果把分子看成是球形的，一般分子的大小只有百亿分之几米，通常以10^{-10} m做单位来量度。这么小的分子，不仅用肉眼不能看到，而且一般显微镜也不能看到。电子显微镜可以帮助我们观察它们(图11.1-4)。

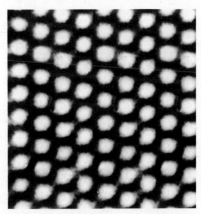

图11.1-4 电子显微镜下的金分子(单原子分子)

固态、液态、气态的微观模型

世界上形形色色的物质有多种形态。我们身边的物质一般以固态、液态、气态的形式存在。物质处于不同状态时具有不同的物理性质。

物质从液态变为固态时体积变大还是变小？你能说出一些现象支持你的说法吗？

图11.1-5 液态的蜡在凝固时体积缩小，中间凹陷下去。

多数物质从液态变为固态时体积变小(水例外，水结冰时体积变大)；液态变为气态时体积会显著增大。水在汽化时体积增大约1 700倍；乙醚汽化时体积增大约250倍。物质的状态变化时体积发生变化，主要是由于构成物质的分子在排列方式上发生了变化。

固态物质中，分子的排列十分紧密，分子间有强大的作用力。因而，固体具有一定的体积和形状。

液态物质中，分子没有固定的位置，运动比较自由，粒子间的作用力比固体的小。因而，液体没有确定的形状，具有流动性。

气态物质中，分子极度散乱，间距很大，并以高速向四面八方运动，粒子间的作用力极小，容易被压缩。因此，气体具有流动性。

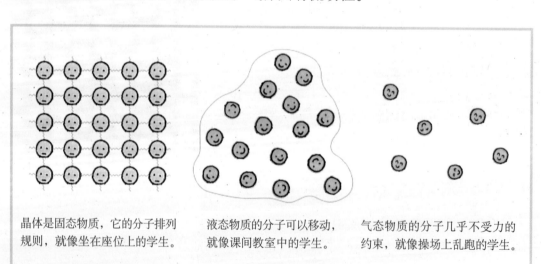

晶体是固态物质，它的分子排列规则，就像坐在座位上的学生。

液态物质的分子可以移动，就像课间教室中的学生。

气态物质的分子几乎不受力的约束，就像操场上乱跑的学生。

图11.1-6

原子及其结构

物质是由分子组成的，分子又是由原子组成的。有的分子由多个原子组成，有的分子只由一个原子组成。

20世纪初，科学家发现，原子的结构与太阳系十分相似，它的中心是原子核，在原子核周围，有一定数目的电子在绕核运动。原子非常小，人类用肉眼可以看见的最小灰尘，其中也包含了约 10^{15} 个微小的原子！

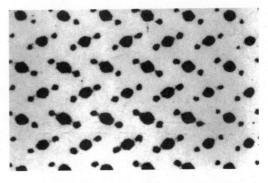

图11.1-7　电子显微镜下的多原子分子

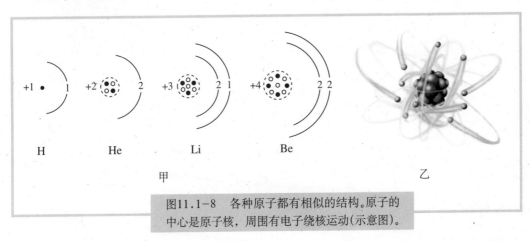

图11.1-8　各种原子都有相似的结构。原子的中心是原子核，周围有电子绕核运动(示意图)。

研究发现，原子核是由更小的粒子——质子和中子组成的，而质子和中子也还有更小的精细结构。人们对微观世界的认识，也是随着科技的发展不断深入的。

科学世界

纳米科学技术

纳米是一个长度单位，符号是nm。1 nm $=10^{-9}$ m。一般分子的直径大约为 $0.3\sim0.4$ nm，蛋白质分子比较大，可达几十纳米；病毒的大小为几百

图11.1-9　移动物质表面的原子，呈现出的"中国"字样。

纳米。纳米科学技术是纳米尺度内（0.1 nm～100 nm）的科学技术，研究对象是一小堆分子或单个的原子、分子。

人们在纳米尺度内发现很多新的现象，给技术上带来很多新进展。借助扫描隧道显微镜观察和操纵原子、分子，实际上就是一种纳米技术。科学工作者正在通过对分子或原子的操纵，实现心中的理想。例如，在电子和通信方面，用纳米薄层和纳米点制造纳米电子器件——存储器、显示器、传感器等，使器件的尺寸更小、运行的速度更快、耗能更少。在医疗方面，制造纳米结构药物以及生物传感器，研究生物膜和DNA的精细结构，在生命科学领域实现技术突破。在制造业方面，可以利用纳米机械制造蜜蜂大小的直升机……

图11.1-10　"一氧化碳分子人"是科学家的一幅作品，它的大小只有5 nm，由28个分子组成。

纳米科学技术是现代科学技术的前沿，在国际上备受重视，这个领域内的竞争非常激烈。我国科学家也在进行纳米科学技术的研究，并取得了成绩，具有世界先进水平。

动手动脑学物理

1.列举自然界和日常生活中的各种不同状态的物质，从多方面说明固体、液体、气体的不同特征。

2.银河系有多大？用什么长度单位表示最方便？

3.组成物质的分子有多大？用什么长度单位表示最方便？

4.固体、液体、气体都由分子组成，为什么它们的物理性质不同？

5.古人认为，原子是不可再分的。关于这个猜想，你认为应做哪些修正？

质 量

一切物体都是由物质组成的。构成物体的物质有多有少，一个铁锤所含的物质就比一个铁钉所含的物质多。物理学中，物体所含物质的多少叫做**质量**（**mass**），通常用字母m表示。

质量的单位是**千克**，符号是**kg**。常用的比千克小的单位有**克**（**g**）、**毫克**（**mg**），比千克大的单位有**吨**（**t**）。它们同千克的关系是

$$1 \text{ kg} = 10^3 \text{ g}$$
$$1 \text{ mg} = 10^{-3} \text{ g} = 10^{-6} \text{ kg}$$
$$1 \text{ t} = 10^3 \text{ kg}$$

小资料

1. 质量的单位

1889年第一届国际计量大会决定，以保存在法国巴黎的国际计量局的国际千克原器为单位标准。在国际单位制（SI）中，千克（kg）是质量的基本单位。

2. 一些物体的质量 m/kg

电子	9×10^{-31}	成人	$(5\sim7) \times 10$
氢原子	1×10^{-27}	大象	可达6.0×10^3
流感病毒	约10^{-19}	鲸	可达1.5×10^5
细菌	约10^{-11}	大型远洋货轮	约10^7
大头针	约8.0×10^{-5}	地球	6.0×10^{24}
一元硬币	约6×10^{-3}	太阳	2.0×10^{30}
新生儿	$2\sim5$	银河系	约10^{41}

质量的测量

天平是实验室测质量的常用工具。

天平的两臂长度相等，当两个盘中物体的质量相同时，天平就会平衡。如果一个盘中是质量未知的物体，另一个盘中是质量已知的砝码，天平平衡后，被测物体的质量等于砝码的质量。

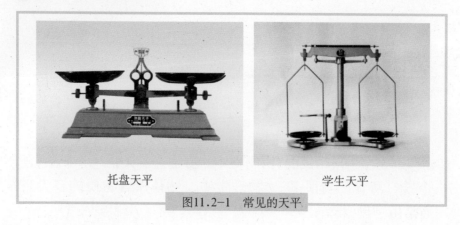

托盘天平   学生天平

图11.2-1　常见的天平

天平的使用

下面，我们将一边学习、一边操作，学习使用天平。在操作之前必须熟记下面的几条要求。

1.每个天平都有自己的"称量"，也就是它所能称的最大质量。被测物体的质量不能超过称量。

2.向盘中加减砝码时要用镊子，不能用手接触砝码，不能把砝码弄湿、弄脏。

3.潮湿的物体和化学药品不能直接放到天平的盘中。

> 请你逐条分析，如果不按这些要求做，会出现什么问题。

怎样使用天平呢?

我们通过用天平称橡皮、铅笔的质量，来学习天平的使用方法。

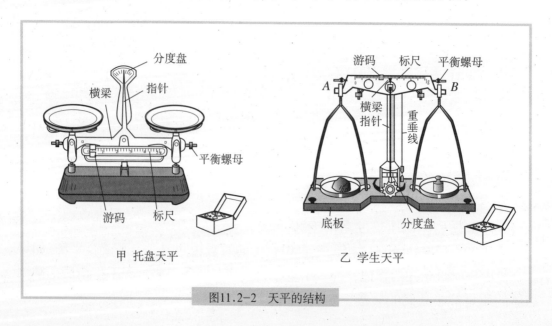

分度盘
横梁   指针
平衡螺母
游码   标尺
甲　托盘天平

游码   标尺   平衡螺母
A   B
横梁
指针   重垂线
底板   分度盘
乙　学生天平

图11.2-2　天平的结构

学习过程中要一边操作一边思考下面几个问题。

● 天平应水平放置。

你的天平有没有检查天平底座是否水平的装置？应怎样调平？

● 天平使用前要使横梁平衡。

横梁指针指在什么位置表示横梁平衡了？每台天平都有平衡螺母，用来调整横梁的平衡。你的天平的平衡螺母安装在什么位置？如果横梁的左臂偏高，应该向哪个方向旋动平衡螺母？

● 你的砝码盒中最小的砝码质量是多少？总质量是多少？

天平用游码还能够分辨更小的质量。游码相当于一个"秤砣"，它在标尺上每向右移动一格，就等于在右盘中增加一个更小的砝码。

在你的天平标尺上，一个这样的小格相当于多大质量的砝码？

使用天平之前，应该使游码停留在什么位置？

想一想：

1.在左盘放上准备称量的物体后，向右盘中尝试着加砝码时，应该先加质量大的还是先加质量小的？为什么？

2.在读测量的质量时，应该先读大砝码，还是小砝码？

3.如果要称粉状物体(例如盐)，应该怎样做？

想想做做

1. 用天平称一个塑料瓶的质量，然后将其剪碎再放到天平上称，比较这个物体在形状变化前后的质量。

2. 称量一小杯水与一小匙白糖的总质量，然后把白糖溶于水，再称糖水的质量。比较两次称量的结果。

通过以上两个实验，你能得出什么结论？

科学世界

质量单位千克的由来

　　自古以来，各国采用过各种不同的质量单位，例如，我国曾经用斤、两、钱作质量单位；英、美等国曾经用磅作质量单位。现在世界各国普遍采用国际单位制，在国际单位制中质量的主单位是千克。

　　1791年，法国为了改变计量制度的混乱情况，在规定了长度的单位米的同时，在米的基础上规定了质量单位，即规定 1 dm^3 的纯水在 4 ℃ 时的质量为 1 kg，并且用铂制作了标准千克原器，保存在法国档案局。因此，这个标准千克原器也叫"档案千克"。

　　1872年，科学家们通过国际会议，决定以法国档案千克为标准，用铂铱合金制作标准千克的复制品，分发给其他国家。1883年，在复制品中选了一个与"档案千克"质量最接近的作为国际千克原器，保存在国际计量局（设在巴黎）。1889年，第一届国际计量大会批准以这个国际千克原器作为质量的标准，沿用到现在。

动手动脑学物理

　　1.在宇宙飞船中，物体处于失重状态。如果把物体从地面带到月球上、带到宇宙飞船中，这个物体的质量改变吗？

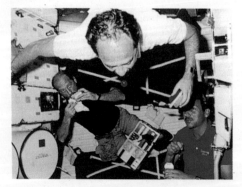

图11.2-3　从地球带到太空的食品，质量变了吗？

2.如何称出一个大头针的质量？说出你的测量方法，并实际测一测。

3.一块质量为100 g的冰熔化成水后，它的质量

A.仍是100 g；　　B.大于100 g；　　C.小于100 g。

4.某同学用天平测量一块金属的质量时，使用了3个砝码，其中有1个100 g、1个50 g、1个20 g，游码在标尺上的位置如图11.2-4所示。这块金属的质量是多少？

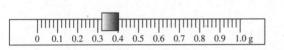

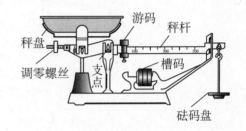

图11.2-4

图11.2-5　这种台秤的工作原理与天平相同

5.有些商店里使用一种台秤(图11.2-5)，它的工作原理与天平相同，不过两臂长度不等。这种台秤的哪两部分相当于天平的两个盘？什么相当于天平的砝码、游码？怎样判定它的横梁是否平衡？它的平衡螺母在什么位置？怎样调整才能使横梁平衡？

三　密度

物质的质量与体积的关系

想想做做

　　用天平称量体积相同的木块、铝块、铁块，它们的质量相同吗？关于称量的结果，你受到了什么启示，能提出什么问题？

探究

同种物质的质量与体积的关系

同一种物质,体积越大,质量越大。如果体积增大到原来的2倍,质量也会增加到原来的2倍吗? 也就是说,同一种物质的质量与它的体积成正比吗?

我们用铝块做实验。取大小不同的若干铝块,分别用天平测出它们的质量,用直尺测出边长后计算出它们的体积,列出表来,然后以体积 V 为横坐标,以质量 m 为纵坐标,在方格纸上描点,再把这些点连起来。

下面的表格和方格纸可供参考。

	m/g	V/cm^3
铝块 1		
铝块 2		
铝块 3		
铝块 4		
……		

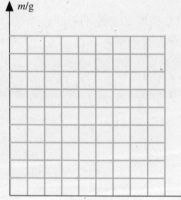

图11.3-1

通过所作的图象(**graphics**),你得到什么结论? 与你的猜想一样吗?

结论:同种物质的质量和体积具有_____关系。

> 体积为 0 时质量也是 0,所以根据 $m=0$ 和 $V=0$,也可以作出一个点。

想想做做

在上面的探究中,分别计算每个铝块质量与体积的比值。如果是铁块或者木块,这个比值会跟铝块的一样吗?

密　度

　　一种物质的质量与体积的比值是一定的，物质不同，其比值一般也不同。这反映了不同物质的不同性质，物理学中用**密度**（density）表示这种特性。**单位体积某种物质的质量**叫做这种**物质的密度**，用公式写出来就是

$$\rho = \frac{m}{V}$$

符号的意义及单位：

ρ —— 密度 —— 千克每立方米（kg/m^3）

m —— 质量 —— 千克（kg）

V —— 体积 —— 立方米（m^3）

　　密度 ρ 的单位是由质量单位和体积单位组成的，常用的质量单位是千克，体积单位是立方米，密度的单位就是**千克每立方米**，符号是**kg/m^3**，这种单位叫做组合单位。有时，密度的单位也用**克每立方厘米**，符号是**g/cm^3**。这两个密度单位的关系是

$$1 \ g/cm^3 = 1 \times 10^3 \ kg/m^3$$

小资料

1. 一些固体的密度（常温常压下）

物质名称	密度 $\rho/(kg \cdot m^{-3})$	物质名称	密度 $\rho/(kg \cdot m^{-3})$
锇	22.5×10^3	铝	2.7×10^3
金	19.3×10^3	花岗岩	$(2.6\sim2.8) \times 10^3$
铅	11.3×10^3	砖	$(1.4\sim2.2) \times 10^3$
银	10.5×10^3	冰（0℃）	0.9×10^3
铜	8.9×10^3	蜡	0.9×10^3
钢、铁	7.9×10^3	干松木	0.5×10^3

2. 一些液体的密度（常温常压下）

物质名称	密度 $\rho/(kg \cdot m^{-3})$	物质名称	密度 $\rho/(kg \cdot m^{-3})$
水　银	13.6×10^3	植物油	0.9×10^3
硫　酸	1.8×10^3	煤油	0.8×10^3
海　水	1.03×10^3	酒精	0.8×10^3
纯　水	1.0×10^3	汽油	0.71×10^3

3. 一些气体的密度(0 ℃，在标准大气压下)

物质名称	密度 ρ/(kg·m⁻³)	物质名称	密度 ρ/(kg·m⁻³)
二氧化碳	1.98	一氧化碳	1.25
氧	1.43	氦	0.18
空气	1.29	氢	0.09

例题　矗立在天安门广场的人民英雄纪念碑，碑身高37.94 m，由413块花岗岩石块砌成。碑心石是一块整的花岗岩，长14.7 m、宽2.9 m、厚1 m，上面刻着"人民英雄永垂不朽"，它的质量有多大？

分析　碑心的巨石不能直接称量。从密度的计算公式 $\rho = \dfrac{m}{V}$ 可以得出

$$m = \rho V$$

如果从密度表中查出花岗岩的密度，再用密度乘以碑心石的体积，就能得到碑心石的质量。

解　由题目知道，碑心石的体积

$$V = 长 × 宽 × 高$$
$$= 14.7\,m × 2.9\,m × 1\,m = 42.6\,m^3$$

查表得到花岗岩的密度

$$\rho = 2.8 × 10^3\,kg/m^3$$

将数据代入公式 $m = \rho V$，得到

$$m = 2.8 × 10^3\,kg/m^3 × 42.6\,m^3$$
$$= 119 × 10^3\,kg = 119t$$

所以，碑心巨石的质量是119t。

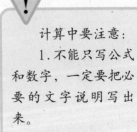

计算中要注意：

1. 不能只写公式和数字，一定要把必要的文字说明写出来。

2. 数字的后面要写上正确的单位。

这道例题告诉我们，物体的质量等于它的密度与体积的乘积。因此，知道了物体的体积，查出组成物质的密度，就可以算出它的质量。对于不能直接称量的庞大物体，这是求质量的很方便的办法。

想想议议

　　一卷细铜线，怎样做能方便地知道它的长度？

科学世界

细微差别中的重大发现

在 19 世纪末，英国物理学家瑞利在精确测量各种气体的密度时，发现由空气中取得的氮的密度是 $1.2572\,kg/m^3$，从氨中取得的氮的密度是 $1.2505\,kg/m^3$。虽经多次重复测量，仍然存在这个令人奇怪的差异。后来，他在化学家拉姆塞的合作下，1894 年在从空气中取得的氮里分离出另一种当时还不知道的气体——氩，这个谜才解开了。原来，氩的密度较大，空气中的氮混有少量氩，它的密度就比从氨中取得的纯氮的密度稍大。这是科学史上一个很有名的故事，它说明在科学实验中，精确的测量是多么重要。瑞利由于不放过这一细微差异而执着地研究下去，终于导致氩的发现，并因此荣获 1904 年的诺贝尔物理学奖。

动手动脑学物理

1. 一个澡盆大致是长方体，长、宽、高分别约为 1.2 m、0.5 m、0.3 m，最多能装多少千克的水？

2. 现在流通的 1 角硬币，看上去好像是铝制的。请你想办法测量一下它的密度。它真是铝制的吗？写出你选用的实验器材、实验方法，你所采用的实验步骤。1 角、5 角和 1 元硬币所用的金属一样吗？通过实验验证你的判断。

3. 一个容积为 2.5 L 的塑料瓶，用它装水，最多装多少千克？用它装汽油呢？($1\,L=1\,dm^3$)

4. 猜一猜你们教室里空气的质量有多少。几克？几十克？还是几千克、几十千克？测出你们教室的长、宽、高，算一算里面空气的质量。你猜得对吗？

5. 人体的密度跟水的密度差不多，根据你的质量估一下自己身体的体积。

6. 一块长方形的均匀铝箔，用天平和尺能不能求出它的厚度？如果能，说出你的办法。

四　测量物质的密度

从密度表可以看出，各种物质的密度是一定的，不同物质的密度一般不同。要知道一个物体是什么物质做的，只要测出它的密度，把测得的密度跟密度表中各种物质的密度比较一下，就可以知道该物体可能是什么物质做的了。

物质的密度可以测量。只要测量了物质的质量和体积，通过 $\rho = \dfrac{m}{V}$ 能够算出物质的密度。

液态物质的体积可以用量筒测出。

量筒的使用

想想做做

量筒的使用方法

观察你所用的量筒，思考下面几个问题。

1. 这个量筒是以什么单位标度的？是毫升(mL①)还是立方厘米(cm^3)？
2. 量筒的最大测量值(量程)是多少？
3. 量筒的分度值是多少？
4. 图11.4-2中画出了使用量筒时的两种错误。它们分别错在哪里？

图11.4-1　用量筒
测量液体的体积

甲　　　　　　乙
图11.4-2　使用量筒时的两种错误

①按照国家标准，体积单位"升"的符号可以是 L，也可以是 l。

测量液体和固体的密度

要测出物体的密度，需要测出它的质量和体积。质量可以用天平测出。液体和形状不规则的固体的体积可以用量筒或量杯来测量。图11.4-3给出了用量筒测量不规则形状物体体积的一种方法。口头描述这种方法，与同学交流，然后用这种方法实际测量一个塑料块的体积。

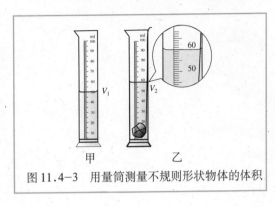

图11.4-3 用量筒测量不规则形状物体的体积

探究

测量盐水和形状不规则塑料块（不吸水）的密度

1.一杯盐水因溶入不同质量的盐而密度不同。自己用盐和水配制一些盐水，利用天平和量筒，测量盐水的密度。

自己设计1个表格，用于记录测量盐水的密度时所用的数据及所得的结果。

2.用天平、量筒测量一块形状不规则塑料块的密度。

自己设计实验和记录实验数据的表格，并且把实验的数据记录在表格中。

想想议议

你会用密度知识来鉴别一块奖牌是什么金属做的吗？怎样做？这种鉴别方法是不是绝对可靠？为什么？

动手动脑学物理

1. 下表列出了几种金属的密度、熔点、导热性能及导电性能等物理特性。研究表中的数据，你有什么新的发现？

2. 综合考虑下表中各方面的因素，通过小组讨论，回答以下问题。不仅要阐明你的观点，还要说清楚理由。

金　属	全球年产量 /10^4 t	密度 /10^3 kg·m^{-3}	熔点/℃	导热性能 1表示最强 9表示最弱	导电性能 1表示最强 9表示最弱	市场价格 /元·吨$^{-1}$ （大约）
铝	15 000	2.7	660	4	4	16 000
铜	8 000	8.9	1 083	2	2	17 700
金	2	19.3	1 063	3	3	88 000 000
钢铁	301 430	7.9	1 540	8	7	2 200
铅	3 000	11.3	327	9	9	4 900
镍	800	8.9	1 453	7	6	103 000
银	8	10.5	961	1	1	1 365 000

● 哪两种金属的导电性能好？在你认为导电性能好的金属中，哪种更适宜做导线？

● 哪一种金属的导热性能好？生活中常用的各种锅是用什么金属做的？为什么人们炒菜时宁愿用铁锅而不愿用铝锅？

● 哪一种金属的密度最小？生活中什么地方使用这种金属？综合评价为什么使用它。

五　密度与社会生活

密度是物质的基本特性之一，每种物质都有自己的密度。密度在我们的社会生活中有重要的价值。例如，勘探队员在野外勘探时，通过对样品密度等信息的采集，可以确定矿藏的种类及其经济价值。在麦场上，人们利用风力来扬场，对饱满的麦粒与瘪粒、草屑进行分拣……又例如商业中鉴别牛奶、酒的浓度，农业生产中配制盐水选种的问题等，都要用到密度的知识。在工业生产中密度知识的应用也很广泛，人们要根据不同的需求来选择合适的材料。汽车、飞机以及航天器的设计师们，根据不同的需求，对制造材料的密度及其性能选取不同的技术要求：交通工具、航空器材中，常采用高强度、低密度的合金材料、玻璃钢等复合材料。在产品包装中，常采用密度小的泡沫塑料作填充物，防震、便于运输，价格低廉。可见，密度的知识与人们社会生活的关系十分密切。

密度与温度

1. 在室温下，吹鼓两个气球。分别把它们放在冰箱的冷藏室和炉火附近。过一会儿，你会发现什么现象？

2. 按图 11.5-1 做一个纸风车。如果把风车放在点燃的酒精灯附近，风车能转动起来。

你知道是什么推动了风车吗？

图 11.5-1　纸风车

由上述实验可以看出，气体受热体积膨胀。由于密度 $\rho = \dfrac{m}{V}$，一定质量的气体体积膨胀后，密度变小。

空气因受热体积膨胀，密度变小而上升。热空气上升后，温度低的冷空气就从四面八方流过来，从而形成风。

人类很早就利用风力了，例如，利用风力来取水、灌溉、磨面，推动帆船、滑翔机等。近代大规模应用风力，主要在发电上。

图 11.5-2 风车王国——荷兰风光

图 11.5-3 龙卷风

可见，温度能够改变物质的密度。在我们常见的物质中，气体的热胀冷缩最为显著，它的密度受温度的影响也最大；一般固体、液体的热胀冷缩不像气体那样明显，因而密度受温度的影响比较小。

在我国的北方，冬天对自来水管的保护十分重要。如果保护不好，使水管内的水结了冰，不仅影响正常的生活用水，有时还会把水管冻裂，造成送水设备的损坏。那么，自来水管为什么会被冻裂？

我们知道，水遇冷会结冰。水的密度是 1.0×10^3 kg/m³，冰的密度是 0.9×10^3 kg/m³。如果把 1 kg 的水凝结成冰，它的体积怎么变化？

从密度公式 $\rho = \dfrac{m}{V}$ 知道，体积 $V = \dfrac{m}{\rho}$。

1 kg 水的体积 $V = \dfrac{m}{\rho} = \dfrac{1 \text{ kg}}{1.0 \times 10^3 \text{ kg/m}^3} = 1.0 \times 10^{-3}$ m³

1 kg 冰的体积 $V = \dfrac{m}{\rho} = \dfrac{1 \text{ kg}}{0.9 \times 10^3 \text{ kg/m}^3} = 1.1 \times 10^{-3}$ m³

我们发现，相同质量的冰比水的体积大。虽然冰是由水凝结而成的，但是由它们的密度不同，可以看出：一定质量的水凝结成冰后体积变大。这表明，水不简单地遵守一般物质遵循的"热胀冷缩"的规律。

事实表明，4℃的水的密度最大。温度高于4℃时，随着温度的升高，水的密

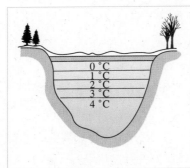

图11.5-4 冬天河水温度分布图。由于水的反常膨胀，在严寒冬天，河面封冻了，较深河底的水却保持4℃的水温，鱼儿仍然可以自由自在地游呢!

度越来越小；温度低于4℃时，随着温度的降低，水的密度也越来越小。水凝固成冰时体积变大，密度变小。人们把水的这个特性叫做水的反常膨胀。

自来水管遵从"热胀冷缩"的规律，水结冰时遵从"热缩冷胀"的规律。从这两方面入手思考，你知道自来水管被冻裂的原因了吗?

密度与物质鉴别

你会用密度知识来鉴别一块奖牌是什么金属做的吗?

应用密度的知识可以对物质进行鉴别。下面我们通过判断铅球是什么物质制造的事件为例，了解密度在鉴别物质上的价值。

例题　一个实心铅球的质量是4 kg，经测量知道它的体积是0.57 dm³。这个铅球是用铅制造的吗?

分析　要知道铅球是否用铅制造的，应先求出它的密度，再与金属铅的密度进行比较。

解　已知 $m = 4$ kg，$V = 0.57$ dm³ $= 0.57 \times 10^{-3}$ m³。

根据密度公式

$$\rho = \frac{m}{V}$$

可以获得铅球的密度。

把已知数据代入上面的公式，可以得到

$$\rho = \frac{m}{V}$$
$$= 4 \text{ kg} \div (0.57 \times 10^{-3} \text{ m}^3)$$
$$= 7.0 \times 10^3 \text{ kg/m}^3$$

由于铅的密度是 11.3×10^3 kg/m³，可知这个铅球不是纯铅制成的。

由密度表可知，铁的密度是 7.9×10^3 kg/m³，我们判断，铅球可能是用铁或铅与其他物质的混合材料制造的。要确定铅球到底是用什么材料制造的，我们还要应用其他科学知识，做进一步鉴定。

从前面的密度表知道，一些不同物质的密度是相同的。例如，酒精和煤油都是液体，它们的密度都是 0.8×10^3 kg/m³。通过对两者气味的判断，在知道密度的基础上可以鉴别出酒精和煤油。冰和蜡都是固体，它们的密度也相同，从它们的颜色、透明度，以及能否燃烧、硬度等物理性质的差异，我们也能区分它们。

可见，利用密度可以鉴别物质，但是要准确地鉴别物质，常常要多种方法并用。

历史学家以人类对材料的利用作为一个时代的重要标志，把人类发展的过程划分为石器时代、青铜时代、铁器时代等。在历史发展的长河中，材料的作用可以作为人类文明进步的里程碑。从20世纪中期以后，历史进入新技术革命时代，材料、能源、信息成为现代文明的重要支柱。这个时期中，新材料的发展会给人们的社会生活带来巨大的改变。在新材料的开发过程中，材料的密度仍然是科学家研究的核心问题之一。

动手动脑学物理

1. 1 cm³ 的冰熔化成水后，质量是多少？体积是多少？

2. 一个瓶子能盛 1 kg 水，用这个瓶子能盛多少质量的食用植物油？

3. 建筑工地需用沙石 400 m³，可用载重 4 t 的卡车运送，需运多少车？
   （$\rho_{沙} = 2.6 \times 10^3$ kg/m³）

4. 建成后的长江三峡水库的容量约为 3.93×10^{11} m³，这个水库的蓄水量是多少吨？

5. 根据气体的密度随温度变化而变化的现象，试分析房间里的暖气一般都安装在窗户下面的道理。

我还想知道

★什么物质的密度最大？ _____

★ _____

★ _____

第十二章　运动和力

当高台跳雪运动员出现在赛道的顶端时，全场观众的目光都集中在他身上。

运动员由高处急速滑下，在即将到达赛道底部时，他的速度已达到100千米每小时。这时，他双膝弯曲，使劲一蹬，顺势跃向空中。然后，为了减小空气阻力的影响，他上身前倾，双臂后摆，整个身体就像一架飞机，向前滑翔。刺骨的寒风抽打着他的脸庞，两边的雪松飞快地向后掠过。最终，滑雪板稳稳地接触地面。

一个新的世界纪录产生了！

观看滑雪比赛让你心旷神怡。滑雪不仅是一项运动，同时也是一门科学。学好关于运动的科学，不仅能够使你深入认识体育，还能深入了解自然。

阅读指导

学过本章以后，你就会明白以下问题。

一、运动的描述

什么事实可以说明运动和静止是相对的？怎样描述物体的运动？

二、运动的快慢

怎样比较运动的快慢？

三、长度、时间及其测量

怎样测量时间和长度？时间和长度的常见测量方法有哪些？

四、力的作用效果

力有哪些作用效果？怎样用示意图表示力？

五、牛顿第一定律

物体在不受力时怎样运动？什么是物体的惯性？

六、二力平衡

二力平衡的条件是什么？

运动的描述

机械运动

甲　哈雷彗星每隔76年就来访地球一次

乙　亘古至今，喜马拉雅山都这样巍峨耸立吗?

丙　猎豹急驰如风，你知道它跑得有多快?

图12.1-1　形形色色的运动

想想议议

和同学们一起讨论图12.1-1所示的运动及类似的运动，根据已有的知识，看看能得出什么结论。

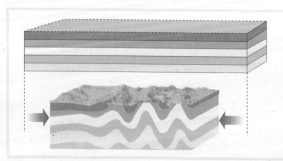

图12.1-2　地球内部是熔融状的物质，我们脚下的大地就像一层硬壳，"漂浮"在它上面。地壳在不停地运动着。地壳的水平运动，使有的地方岩层挤压隆起，形成山脉；有的地方岩层张裂，形成裂谷。

运动是宇宙中的普遍现象。

飞奔的猎豹、夜空的流星在运动；房屋、桥梁、树木，随着地球的自转、公转也在运动。天上的恒星，看起来好像不动，其实它们也在飞快地运动，速度至少在几十千米每秒以上，只是由于距离太远，在几十年、几百年的时间内，肉眼看不出它们位置的变化。

在物理学里，我们把物体位置的变化叫做**机械运动**（mechanical motion）。

参照物

有时候，描述一个物体是否在运动并不容易。你也许有过这样的体验：两列火车并排停在站台上，你坐在车厢中向另一列车厢观望。一时间，你觉得自己的列车开始缓缓地前进了，但是，"驶过"了对面列车的车尾你才发现，实际上你乘坐的列车还停在站台上，而对面的列车却向反方向开去了。这是怎么回事呢？

实际上，你的两个判断都有道理。如果以对面的列车为标准，你乘坐的列车就是运动的。如果以地面为标准，你乘坐的列车就是静止的。可见，说物体是在运动还是静止，要看是以哪个物体做标准。这个被选作标准的物体叫**参照物**（**reference object**）。

想想议议

每个同学都来描述某一物体的运动情况，看看各是以什么物体作为参照物的。

图12.1-3 拖拉机和联合收割机相对静止

参照物可以根据需要来选择。如果选择的参照物不同，描述同一物体的运动时，结论一般也不一样。可见，**物体的运动和静止是相对的。**

运动和静止是相对的，这一现象在生活中随处可见。以同样快慢、向同一方向前进的卡车和联合收割机，选地面为参照物，它们都在运动；选它们中的任何一个为参照物，另一个是静止的——相对静止(图12.1-3)。

甲　宇航员在舱外工作

乙　空中加油机正在加油

丙　乘坐这个电梯向外
观看，有什么感觉？

图12.1-4　说一说，对于不同的参照物，各个物体是在运动还是静止？

动手动脑学物理

1.以火车头、车厢的坐椅、乘客、路边的树木、房屋为参照物填空：在平稳行驶的列车中，放在行李架上的物品相对于＿＿＿＿＿＿是静止的，相对于＿＿＿＿＿＿是运动的。

2.坐在逆水行驶的船中的乘客，我们说他静止是以下列哪些物体为参照物的？

A.河岸上的树；　　　　　B.船舱；

C.迎面驶来的船；　　　　D.河水。

3.看电视转播的百米赛跑时，我们常常感觉运动员跑得很快，但实际上他们始终处于屏幕上。这是为什么？

4.我国自1984年4月8日发射第一颗地球同步通信卫星以来，已经陆续发射了多颗这类通信卫星。同步卫星虽然绕地心转动，但是地球上的人却觉得它在空中静止不动，为什么？它绕地心转动一周大约需要多长时间？

二　运动的快慢

运动有快有慢。哪些方法可以描述物体运动的快慢？

速　度

物体运动的快慢用**速度**（velocity）表示。在相同时间内，物体经过的路程越长，它的速度就越快；物体经过相同的路程，所花的时间越短，速度越快。

　　速度等于运动物体在单位时间内通过的路程。速度、路程和时间之间的关系为

$$v = \frac{s}{t}$$

符号的意义及单位：

s —— 路程 —— 米（m）

t —— 时间 —— 秒（s）

v —— 速度 —— 米每秒（m/s）

小资料

一些物体运动的速度 $v/(\mathrm{m \cdot s^{-1}})$

蜗牛爬行	约 1.5×10^{-3}
人步行	约1.1
自行车	约5
高速公路上的小轿车	可达40
普通列车	约40
雨燕	最快达48
喷气式客机	约250
超音速歼击机	>700
子弹出膛时	约1 000
同步卫星轨道速度	3 070
第一宇宙速度	7 900
真空中光速	3×10^8

在国际单位制中，速度的单位是**米每秒**，符号为**m/s**或**m·s⁻¹**。在交通运输中还常用**千米每小时**做速度的单位，符号为**km/h**或**km·h⁻¹**。

$$1\mathrm{m/s} = 3.6\,\mathrm{km/h}$$

例题　我国优秀运动员刘翔在2004年雅典奥运会上勇夺110 m跨栏金牌，成绩是12.91 s。这项奥运会记录的运动速度是多少？如果一辆行驶中的摩托车的速度表指示为30 km/h。哪一个的速度比较大？

解　利用公式 $v = \dfrac{s}{t}$ ，可以算出刘翔的运动速度为

$$v_1 = \frac{s}{t} = \frac{110\ \mathrm{m}}{12.91\ \mathrm{s}} = 8.52\ \mathrm{m/s}$$

摩托车的速度为

$$v_2 = 30 \text{ km/h} = 30 \times \frac{1\,000 \text{ m}}{3\,600 \text{ s}}$$

$$= 8.3 \text{ m/s}$$

所以，刘翔的运动速度比摩托车大。

图 12.2-1　速度表

例题　火车在北京和上海之间的运行速度约为 104 km/h，两地之间的铁路线长为 1 463 km，火车从北京到上海大约要用多少时间？

解　由公式 $v = \frac{s}{t}$ 变形可以得到 $t = \frac{s}{v}$，因此，火车从北京到上海所用的时间大约是

$$t = \frac{s}{v} = \frac{1\,463 \text{ km}}{104 \text{ km/h}} = 14 \text{ h}$$

包含3个量的公式在物理学习中是很常见的，这样的公式变形要非常熟练。

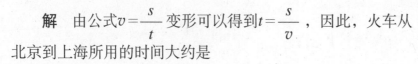

想想议议

"频闪摄影"是研究物体运动时常用的一种实验方法。

摄影在暗室中进行。把照相机固定在地面上，快门是常开的，但是由于没有光照亮物体，底片并不感光。光源是一只闪光灯，它每隔一定的时间（例如0.02 s）闪亮一次，闪亮的时间很短，只有大约 $\frac{1}{1\,000}$ s。光源发光时，物体被照亮，底片就记录下这时物体的位置。光源不断

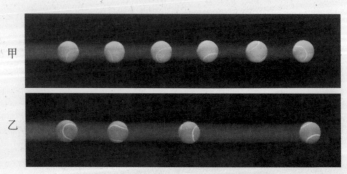

图 12.2-2　两个运动物体的频闪照片

闪亮，底片就记录下物体相隔同样时间的不同位置，根据底片可以研究物体的运动情况。

　　图12.2-2甲、乙是两个网球运动时的频闪照片。根据照片记录的网球位置，哪个球运动的时间比较长？哪个小球运动速度基本保持不变？哪个小球的运动越来越快？

匀速直线运动

图12.2-3　自行车运动员做变速运动

　　物体沿着直线快慢不变的运动，叫做**匀速直线运动**(uniform rectilinear motion)。

　　匀速直线运动是最简单的机械运动。在平直轨道上行驶的列车可以近似地看做匀速直线运动。

　　常见物体的运动速度都在改变。例如，自行车运动员在上坡时速度会减慢，下坡时速度会加快；火车出站和进站时的速度小于在两站之间的运行速度。变速运动比匀速运动复杂，如果只做粗略研究，也可以用 $v=\dfrac{s}{t}$ 来计算。这样算出来的速度叫平均速度。

科学世界

时间"放大镜"

　　摄影是广受大家喜爱的活动，同时，作为一种方便的工具，照相机在科学研究中也受到重视，特别是在研究物体运动的时候。

　　照相机上有一个叫做"快门"的装置。通过调整快门开启的时间可以控制底片曝光的时间。快速运动和慢速运动的物体，很难用肉眼直接观察。对于前者，可以用极高的快门，在很短的时间内摄下运动状态；而对于后者，就要采用较长的曝光时间。

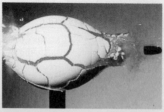

甲　高速摄影将时间"凝固"

乙　固定在地面的相机长时间曝光，显示出星体绕北天极的视运动。

丙　频闪照相把运动员的动作分解

图12.2-4　摄影用于科学研究的几个实例

动手动脑学物理

1．上海磁悬浮列车的速度可达423 km/h，大约是普通列车的多少倍？

2．根据图12.2-5的列车时刻表，计算列车从襄樊到丹江运行的平均速度，以及从朱坡到老河口运行的平均速度。

3．在公路旁每隔1 km就立着一个里程碑。利用里程碑如何估测自行车的速度？

4．地面上立一个杆子，在阳光下测量杆顶的影移动的速度。在这项活动中，除了速度的测量方法外，你还学到了哪些新的知识？发现了几个新的问题？

5．一般潜艇静止在水面下。当潜艇发现正前方5 km处有一艘航空母舰正以30 km/h的速度向潜艇驶来时，马上向航母发射了一枚速度为110 km/h的鱼雷，多长时间后鱼雷可能命中航母？

襄樊 ⇌ 丹江

7531	车次		7532
襄樊 8:43	自起襄公樊里	始发	丹江 13:00
丹江 11:58		终到	襄樊 16:34
↓ 8:43	0	襄樊	16:34 ↑
57	9	襄北四场	20
9:13	※	襄北一场	16:03
36	※	马棚营	54
53	30	熊堰坡	37
10:05	39	黑龙家店	15:25
22	45	朱河口东	39
31	50	陈平渡口	30
41	57	太老山嘴	20
51	※	仙人河	14:10
11:12	76	老河家	48
27	84	洪苏	31
36	※		22
11:58	103	丹江	13:00

图12.2-5　列车时刻表

三　长度、时间及其测量

我们常常需要通过物体运动的路程和所用的时间来测量速度，这样就涉及长度和时间这两个基本物理量的测量。

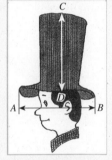
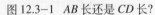

图 12.3-1　*AB* 长还是 *CD* 长？　　图 12.3-2　中心的两个圆哪个的面积大？

图 12.3-1 中的帽檐直径 *AB* 与帽子高度 *CD* 哪个更长？图 12.3-2 中，中心的两个圆哪个面积大？先看看，再用尺量。我们的视觉总是可靠的吗？

请一位同学看着表，自己闭上眼睛，估计闭眼 1 min 时睁开。我们对时间的感觉总是可靠的吗？

根据感觉来估测一个物体的大小，有时并不准确。同样，对于20 ℃的气温，生活在热带的人会认为很凉快，而生活在寒冷地区的人却认为很暖和。因此，单凭感觉来说明气温的高低，也是不准确的。

要对物体的某些情况进行定量的描述，必须用仪器来测量。

尺、天平、钟表、温度计等，都是我们熟悉的测量仪器或工具。

国际单位制

测量需要有标准。测量某个物理量时用来进行比较的标准量叫做**单位**。长期以来，世界上不同地区(甚至同一地区的不同年代)选定的测量标准各不相同。例如，测量长度时，我国过去采用的单位是"尺"(古代的"尺"与现代的"尺"也不一样)，一些欧洲、美洲国家采用的单位是"英尺"。这样，同一物体的长度用不同的单位来表示，国际间交流就会很不方便。

人们逐渐认识到，确定测量标准时，应当选取自然界中比较稳定、世界各国人民都能接受的事物为标准。鉴于这种认识，国际计量组织制定了一套国际统一的单位，叫**国际单位制**(International System of units ,简称SI)。

我国现在的法定单位采用国际单位制单位。

长度的测量

长度测量是物理学中最基本的测量之一。

在国际单位制中，长度的基本单位是**米**(**meter**)，符号是**m**。比米大的单位有千米(km)，比米小的单位有分米(dm)、厘米(cm)、毫米(mm)、微米(μm)、纳米(nm)等。它们同米的关系是：

$$1 \text{ km} = 1\ 000 \text{ m} = 10^3 \text{ m}$$
$$1 \text{ dm} = 0.1 \text{ m} = 10^{-1} \text{ m}$$
$$1 \text{ cm} = 0.01 \text{ m} = 10^{-2} \text{ m}$$
$$1 \text{ mm} = 0.001 \text{ m} = 10^{-3} \text{ m}$$
$$1 \text{ μm} = 0.000\ 001 \text{ m} = 10^{-6} \text{ m}$$
$$1 \text{ nm} = 0.000\ 000\ 001 \text{ m} = 10^{-9} \text{ m}$$

小资料

1983年国际计量大会做出规定：光在真空中 $\dfrac{1}{299\ 792\ 458}$ s 内所经路程的长度定义为1 m。

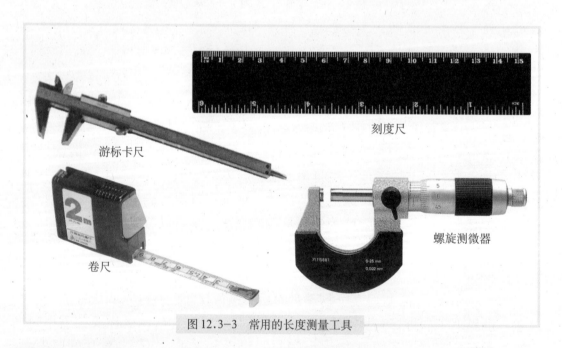

游标卡尺

刻度尺

卷尺

螺旋测微器

图12.3-3　常用的长度测量工具

学生常用的测量长度的工具是刻度尺，通常根据被测长度两端靠近的刻度线来读数。更精确的测量就要选用游标卡尺等其他工具。

探究

如何使用刻度尺？

1.仔细观察刻度尺，它的零刻度线在哪里？

2.它的量程(测量范围)是多少？

3.它的分度值(相邻两条刻度线之间的长度)是多少？

4.怎样读出被测物体长度的数值？

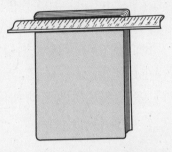

图 12.3-4　这把尺应怎样放置？

小资料

一些长度和距离 s/m

原子的半径	$(0.5 \sim 3) \times 10^{-10}$
链球菌的半径	$(3 \sim 5) \times 10^{-7}$
人头发的直径	约 7×10^{-5}
一张纸的厚度	约 10^{-4}
我国铁道的标准轨距	1.435
南京长江大桥铁路桥全长	6 772
珠穆朗玛峰的海拔高度	8 844.43
地球的半径	6.4×10^{6}
地球到月球的距离	3.8×10^{8}
太阳的半径	7×10^{8}
银河系的半径	6×10^{19}

想想议议

测量长度的常用工具有哪些？

人体的哪些部位可以作为"尺"，用来估测长度？人体哪些部位的长度具有特殊关系(比如伸开两臂的长度，大约等于身高)？

比一比，看看谁知道的最多。

时间的测量

在国际单位制中，时间的基本单位是**秒**（**second**），符号是 **s**。时间单位还有小时(h)、分(min)等。

$$1\ h = 60\ min$$

$$1\ min = 60\ s$$

我们现在使用钟表测量时间。

在运动场和实验室，经常用停表来测量时间。停表能方便地启动和停止，可以很方便地测量时间间隔。

小资料

在1967年的国际计量大会上确定，铯133原子振动 9 192 631 770 次所需的时间定义为1 s。

铯原子钟的精确度非常高，大约每百万年只有1 s的误差。

说出下面钟表的分度值。

石英钟

停表

图12.3-5

想想议议

古代人和现代人是如何测量时间的？

比一比，看谁说出的测量时间的方法最多。

误 差

测量时，受所用仪器和测量方法的限制，测量值与真实值之间总会有差别，这就是误差。我们不能消灭误差，但应尽量减小误差。

多次测量同一个长度，可能几次的测量值不尽相同，有的误差大一些，有的误差小一些。求出测量值的平均值，会更接近真实值。多次测量求平均值，选用精密的测量工具，改进测量方法，都可以减小误差，但不能消灭误差。

误差不是错误。测量错误是由于不遵守测量仪器的使用规则、读数时粗心造成的，是不该发生的，是能够避免的。

科学世界

计时标准和工具的变迁

时间标准的选取经历了漫长的演变过程。很久以前，人们根据日出日落、季节更替等自然现象确定了日、月、年等时间概念。例如，人们对"秒"最初定义为一年的31 556 925.974 7分之一。由于季节变化和潮汐等影响，地球的自转并不完全均匀，这使得天文方法所得到的时间精度受到限制。科学研究发现，原子振动的快慢由原子的内部结构决定，不受外界环境的影响，具有很高的稳定性。因此在1967年召开的的国际计量大会上，修改了"秒"的定义。

随着科学和技术的发展，人们测量时间的工具也发生了演变。

日晷是古代的一种计时工具。它由晷盘和晷针组成。晷盘是一个有刻度的圆盘，它的中央装着一根与盘面垂直的晷针。我国日晷的晷盘平行于地球的赤道平面倾斜安放，晷针指向北极方向。晷针的影子随太阳在天空的位置而移动，在刻度盘上指示的不同位置，表示不同的时刻。北京故宫等建筑中安放有日晷。

日晷（音 gui）

沙漏

沙漏也叫"沙时器"或"沙钟"，也是一种古代的计时仪器。它以沙从一个容器漏到另一个容器的数量来计算时间。

……

动手动脑学物理

1.许多石英电子手表具有停表的功能。通过反复尝试学会使用这个功能。

图 12.3-6 多功能电子表

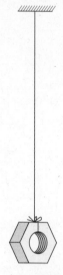

图 12.3-7 摆能测定时间吗?

2.在一条长绳的一端系一个小铁块就做成了一个摆。测出它摆动一个来回所用的时间。怎样能测得更准确? 你能做一个周期为 1 s 的摆吗?

3.各组同学之间比一比,怎样才能更精确地测量硬币的直径、硬币的周长、一页纸的厚度、铜丝的直径?

你能想出多少种测量硬币周长的方法?

4.用宽约 2 cm 的牛皮纸条,自制量程为 2 m、分度值为 1 cm 的卷尺。用这个卷尺测量家里某个人的身高。起床后和临睡前各测一次,你会发现什么?

5.联系电流表、温度计等测量工具的用法,总结一下,使用刻度尺时容易出现哪些错误? 哪些做法会引起较大的误差?

四　力

力的作用效果

大家常常谈到**力**(**force**)，我们可以通过力的作用效果感受它。

 **想想做做**

1.磁铁靠近小钢球时，会发生什么现象？

2.小钢球在光滑的水平面上做直线运动，如果在与运动方向垂直的位置放一块磁铁，观察小钢球运动的变化。

3.用力拉和压弹簧,看看弹簧的形状(长度)发生了什么变化。

通过这几个小实验，结合图12.4-2，你能总结出力有哪两类作用效果吗？

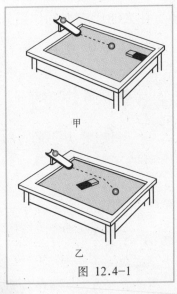

甲

乙

图 12.4-1

甲　力使物体改变形状　　　　乙　力使静止的物体运动　　　　丙　力使运动的物体停止

图12.4-2　力的作用效果

力，可以使运动的物体停止，可以使静止的物体运动，也可以使物体速度的大小、方向发生改变。

力，还可以使物体发生形变。

物理学中，力的单位是**牛顿**（newton），简称**牛**，符号是**N**。托起一个鸡蛋的力大约为0.5 N。

力的大小、方向、作用点

打台球时，用力越大，球运动的距离越远，而且球总是沿着所受力的方向运动。 可见，力的大小、方向不同，作用效果就不同。除了大小和方向以外，还有什么能影响力的作用效果呢？

想想做做

用同样大小的力推门，每次手的位置距离门轴远近不同。体会手在不同位置时施力的不同效果。

习惯上把力的大小、方向、作用点称为"力的三要素"。

除了**大小、方向**外，力的**作用点**也会影响作用效果。

力的示意图

在物理学中通常用一根带箭头的线段表示力：在受力物体上沿着力的方向画一条线段，在线段的末端画一个箭头表示力的方向，线段的起点或终点表示力的作用点，在同一图中，力

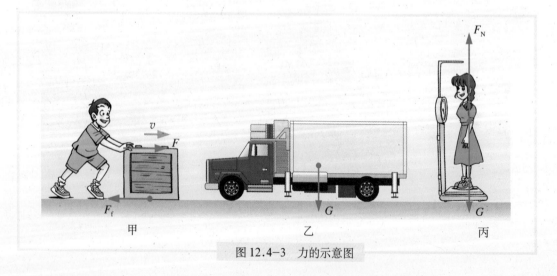

图 12.4-3 力的示意图

越大，线段应该越长。有时还可以在力的示意图旁边用数值和单位标出力的大小。这样用一根带箭头的线段就把力的大小、方向、作用点都表现出来了。

力是物体间的相互作用

力的作用是相互的

伸出手去，让一个同学打，你感到疼吗？打你的同学也感到疼吗？

坐在小船上，用力推

图12.4-4

另一只小船。能够把另一只小船推开而自己坐的船不动吗？

一个物体对别的物体施力时，也同时受到后者对它的作用力。也就是说，**物体间力的作用是相互的**。

图12.4-5 向右推墙时，墙对人有相反方向的作用力，使人向左运动。

动手动脑学物理

1.举出与课本中不同的例子，说明力的作用效果与力的大小、方向、作用点都有关系。

2.踢球时，对球施力的物体是＿＿＿＿＿＿＿，这时＿＿＿＿＿＿＿也受到球的作用力。

3.用手拍桌面，手会感到痛，这是因为＿＿＿＿＿＿＿＿＿＿＿＿＿＿＿＿＿。

4.磁铁能够吸引铁钉，铁钉也能够吸引磁铁吗？找个磁针和铁钉来试一试，看看你的回答对不对。

5.用示意图表示被马拉动的车辆(画一个方框来代表)受到的力。

| 五 | 牛顿第一定律 |

维持运动需要力吗？

你一定有过这样的体验：在平地上骑自行车的时候，即使不踩踏板，车也会前进一段距离，但因为没有继续用力，它最终还是要停下来。日常生活中常会见到这类现象。

关闭发动机的列车会停下来

自由摆动的秋千会停下来

打出去的球会停下来

图 12.5-1　运动的物体为什么会停下来？

古希腊学者亚里士多德对类似的现象进行了思考。他认为：如果要使一个物体持续运动，就必须对它施加力的作用。如果这个力被撤销，物体就会停止运动。而伽利略通过实验表明：物体的运动并不需要力来维持，运动之所以会停下来，是因为受到了摩擦阻力。

到底哪个说法正确呢？

运动要靠力来维持？

运动不需要力来维持？

图12.5-2　哪个说法正确？

探究

阻力对物体运动的影响

　　照图12.5-3那样，给水平桌面铺上粗糙程度不同的物体(如毛巾、棉布、木板等)，让小车自斜面顶端从静止开始滑下。观察小车从同一高度滑下后，在不同表面运动的距离。

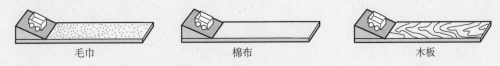

|　　　毛巾　　　|　　　棉布　　　|　　　木板　　　|

图12.5-3　研究阻力对物体运动的影响

表面状况	阻力的大小	小车运动的距离s/m
毛巾		
棉布		
木板		

　　结论：平面越光滑，小车运动的距离越_____，这说明小车受到的阻力越_____，速度减小得越_____。

　　推理：如果运动物体不受力，它将_____。

牛顿第一定律

　　伽利略对类似的实验进行了分析，并进一步通过推理得出：如果表面绝对光滑，物体受到的阻力为零，速度不会减慢，将以恒定不变的速度永远运动下去。后来，英国科学家牛顿总结了伽利略等人的研究成果，概括出一条重要的物理规律：

　　一切物体在没有受到力的作用时，总保持静止状态或匀速直线运动状态。这就是著名的**牛顿第一定律**(**Newton first law of motion**)。

　　牛顿第一定律是通过分析事实，再进一步概括、推理得出的。我们周围的物体，都要受到这个力或那个力的作用，因此不可能用实验来直接验证这一定律。但是，从定律得出的一切推论，都经受住了实践的检验，因此，牛顿第一定律已成为大家公认的力学基本定律之一。

火车沿直轨匀速行驶。坐在车上的乘客，竖直向上抛出苹果，苹果会落回手中吗？

用力击打一摞棋子中最下面的一个，情况会怎样？

图12.5-4   上面的棋子会怎样运动？

惯性

从牛顿第一定律可以知道，一切物体都有保持原有运动状态的特性。我们把物体保持运动状态不变的特性叫做**惯性**(inertia)。牛顿第一定律也叫**惯性定律**(law of inertia)。

物体表现出惯性的现象我们经常遇到。例如，行驶中的汽车刹车时，乘客身体的上部会保持原来的运动状态，而脚已随着车停止运动，因此身体会前倾。同样的道理，当汽车突然开动时，乘客会向后仰。

图12.5-5   利用惯性使锤头套紧

说一说，图12.5-5是怎样利用惯性的。

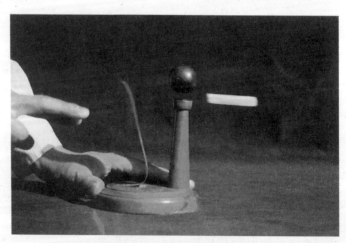

图12.5-6   小球的惯性。簧片把小球与支座之间的木片打出时，小球不会随木片飞出，而是落在支座上。

科学世界　　　　汽车安全带

　　现代汽车的速度很快，一旦发生碰撞，车身停止运动，而乘客身体由于惯性会继续向前运动，在车内与车身撞击，严重时可能把挡风玻璃撞碎而向前飞出车外。为防止撞车时发生类似的伤害，公安部门要求小型客车的驾驶员和前排乘客必须使用安全带，以便发生交通事故时，安全带对人体运动起到缓冲作用，防止出现二次伤害。在高档轿车上，除了前、后排座位都有安全带外，还安装着安全气囊系统，一旦车发生严重撞击，气囊会自动充气弹出，使人不致撞到车身上。

甲　安全带　　　　　　　　乙　安全气囊

图 12.5-7　汽车的两种安全装置

六　二力平衡

　　惯性定律告诉我们，物体不受力时，将保持静止或匀速直线运动状态。但不受力的物体是不存在的，那么为什么有些物体还会保持静止或匀速直线运动状态呢？这是因为物体虽然受力，但是这几个力的作用效果相互抵消，相当于不受力。这时我们就说这几个力**平衡**(equilibrium)。这时物体处于平衡状态。

　　如果作用在物体上的力只有两个，且物体处于平衡状态，这两个力应该满足什么样的条件呢？

 探究

二力平衡的条件

设计实验，探究二力平衡时它们大小、方向、作用点应该有什么关系。

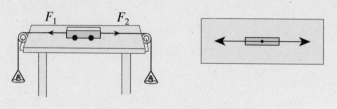

图12.6-1　研究二力平衡条件的一种方法

作用在同一物体上的两个力，如果大小相等、方向相反，并且在同一条直线上，这两个力就彼此平衡。

悬挂着的电灯，受到向下的重力和电线对它向上的拉力。由二力平衡的条件知道，当电灯静止不动时，这两个力一定大小相等，方向相反，并且在同一直线上，如果知道电灯受到的重力大小，就能知道电线对灯的拉力（图12.6-2）。放在桌子上的书，受到向下的重力和桌面对它向上的支持力（图12.6-3），当书静止不动时，如果已知书重，你能说出支持力的大小吗？

在图12.6-4中，跳伞运动员和伞在空中匀速直线下降，如果已知人和伞的总重，你能说出他们所受的阻力吗？

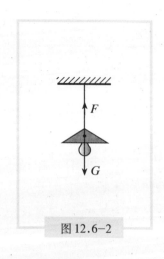

图12.6-2

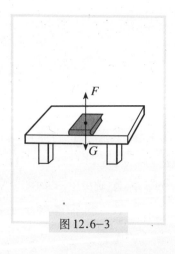

图12.6-3

图12.6-4

动手动脑学物理

1. 跳远运动员在起跳前助跑有什么好处？试一试。你能说明理由吗？

2. 生活中还有哪些利用惯性的例子？哪些情况下要注意防止惯性带来的伤害或损失？

3. 在平直公路上匀速行驶的汽车（图12.6-5）受到几对平衡力的作用？为什么说它们是互相平衡的？在乙图上画出汽车受力的示意图。

甲　　　图12.6-5　　　乙

4. 某人沿水平方向用20 N的力推一辆车匀速向西运动，车受到的阻力的大小是＿＿N，方向向＿＿＿。

5. 在图12.6-6中，哪些物体受到的两个力是彼此平衡的？

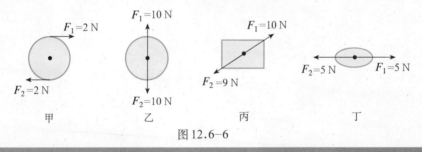

图12.6-6

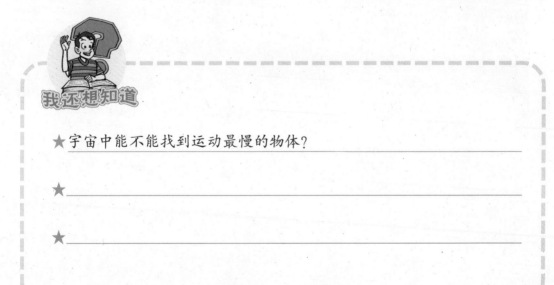

★宇宙中能不能找到运动最慢的物体？

★＿＿＿＿＿＿＿＿＿＿＿＿＿＿＿＿＿＿＿＿＿＿＿＿＿＿＿＿＿＿＿

★＿＿＿＿＿＿＿＿＿＿＿＿＿＿＿＿＿＿＿＿＿＿＿＿＿＿＿＿＿＿＿

第十三章　力和机械

我国古书《列子》中有一篇《杞人忧天》的寓言，讲的是大约公元前四百多年的一个故事。书中说，一个人看到所有的东西都向地面降落，担心天塌下来被砸死，急得茶饭不思，夜不能寐。《列子》的作者指出了地球上一切物体都要下落的事实，不过没有进一步思考为什么所有的东西都要落向地面。

一千多年以后，英国物理学家牛顿已经知道这些现象是地球的引力在起作用。但是，牛顿也"忧天"：地球引力的作用究竟能达到多远？是不是也在吸引天上的月亮呢？牛顿的"忧天"，导致了万有引力的伟大发现。

关于地球的引力，你有哪些遐想？

阅读指导

学过本章以后，你就会明白以下问题。

一、弹力　弹簧测力计

弹力是怎样产生的？

怎样测量力的大小？

二、重力

重力是怎样产生的？

重力的大小与什么有关？

重力沿什么方向？我们可以认为重力作用在哪一点？

三、摩擦力

摩擦力的大小与什么有关？

怎样利用有益的摩擦？减小有害的摩擦？

四、杠杆

杠杆是如何改变力的大小和方向的？

五、其他简单机械

滑轮是如何改变力的方向的？是如何省力的？

一　弹力　弹簧测力计

弹力

轻压一把直尺，使它发生形变，撤去压力，直尺恢复原状；把橡皮筋拉长，松手后，橡皮筋会恢复原来的长度。

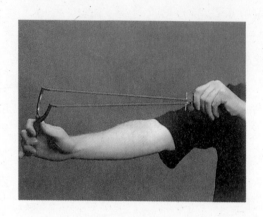

甲

乙

图 13.1-1　物体形变会产生弹力

直尺、橡皮筋、弹簧等受力会发生形变，不受力时又恢复到原来的形状，物体的这种特性叫做弹性。有些物体，例如橡皮泥，变形后不能自动恢复原来的形状，物体的这种特性叫做塑性。弹簧的弹性有一定的限度，超过了这个限度也不能完全复原。所以使用弹簧时不能超过它的弹性限度，否则会使弹簧损坏。

我们在压尺子、拉橡皮筋、拉弹簧时，感受到它们对手有力的作用，这种力叫做**弹力**（**elastic force**）。弹力是物体由于弹性形变而产生的。

弹簧测力计

测量力的大小的工具叫做测力计。弹簧受到的拉力越大，弹簧的伸长就越长。利用这个道理做成的测力计，叫做弹簧测力计，在物理实验中经常使用。常用的两种弹簧测力计的构造如图 13.1-2 所示。

使用弹簧测力计的时候，首先要看清它的量程，也就是它的测量范围。加在弹簧测力计

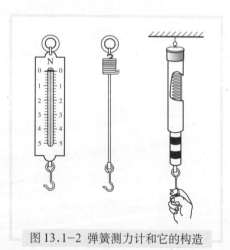

图 13.1-2　弹簧测力计和它的构造

图 13.1-3 握力计，你使用过吗？　　　　图 13.1-4 形形色色的弹簧测力计

上的力不许超过它的量程，否则就会损坏弹簧测力计。

除了图 13.1-2 所示的弹簧测力计以外，人们还制造了其他形式的测力计，例如测量手的握力的握力计(图 13.1-3)就是其中的一种。

现在我们来做实验，练习使用弹簧测力计，探究正确使用弹簧测力计的方法。

 探究

弹簧测力计的使用

1.观察弹簧测力计的量程，认清它的每一小格表示多少牛。

2.检查弹簧测力计的指针是否指在零点.测量前应该把指针调节到指"0"的位置上。

3.一根头发拴在弹簧测力计的秤钩上，用力拉头发，读出头发被拉断时拉力的大小。

4.总结使用弹簧测力计应该注意的几点。

动手动脑学物理

1. 用手捏一个厚玻璃瓶，玻璃瓶会发生弹性形变吗？图13.1-5的实验可以帮助你回答这个问题。

轻按桌面能使桌面发生弹性形变吗？自己设计一个实验进行检验。

2. 用手拉测力计的挂钩，使指针指到1 N、5 N、10 N，感受一下1 N、5 N、10 N的力。

3. 从家中带来各种商用弹簧秤，同学之间交流它们的用法。怎样判断谁的秤更准确？

4. 一个弹簧测力计用的时间久了后，常常不能准确地测量力。试分析其中的原因。

图13.1-5　瓶中灌满水，把细玻璃管通过带孔的橡皮塞插入玻璃瓶中。用手轻捏厚玻璃瓶，观察细管中水面的高度变化，就能知道厚玻璃瓶是否发生了形变。

二　重力

重力的由来

想想做做

用一根细线拴一块橡皮，甩起来，使橡皮绕手做圆周运动。这时，你会觉得橡皮需要用线拉住才不会跑掉（图13.2-1）。

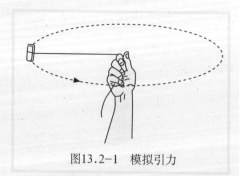

图13.2-1　模拟引力

图13.2-2　人体由于重力而下落（从上向下拍摄的照片）

牛顿认为，地球和月亮之间存在互相吸引的力。地球吸引月亮的力，使月亮绕地球转动而不会跑掉，这个力跟地球吸引地面附近物体使物体下落的力，是同一种力。在这个基础上，牛顿精心研究了历史上很多科学家的研究成果，找到这样一个真理：宇宙间任何两个物体，大到天体，小到灰尘之间，都存在互相吸引的力，这就是**万有引力**（**universal gravity**）。

地球对地面附近物体的引力，使得吊灯把悬绳拉紧、台灯压着桌面、飞机投放的物资落向目的地……由于地球的吸引而使物体受到的力，叫做**重力**（**gravity**）。地球上的所有物体，都受到重力的作用。

地球附近所有物体都受到重力，你知道重力能为我们做什么事吗？

重力的大小

通常把重力的大小叫做重量。有的物体所受的重力比较大，有的物体所受的重力比较小。

 探究

重力的大小跟什么因素有关系？

物体受到的重力可以用弹簧测力计来测量。请你做出关于影响重力大小的因素的猜想，并用实验验证你的想法。

　　你的猜想是：重力的大小跟＿＿＿＿＿＿＿＿＿＿＿＿＿＿＿有关，
理由是：＿＿＿＿＿＿＿＿＿＿＿＿＿＿＿＿＿＿＿＿＿＿。

　　我们研究物体所受的重力跟物体质量的关系。

　　照图13.2-3那样，把钩码逐个挂在弹簧测力计上，分别测出它们受到的重力，记录在下面的表格中。

质量 m/kg					
重力 G/N					

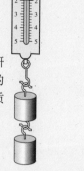

图13.2-3 研究物体所受的重力跟物体质量的关系

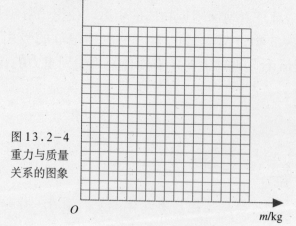

图 13.2-4 重力与质量关系的图象

　　在图13.2-4中，以质量为横坐标、重力为纵坐标描点。连接这些点，你发现它们落在一条什么样的曲线或直线上？你认为重力与质量之间有什么关系？

　　物体所受的重力跟它的质量成正比。重力与质量的比值大约是9.8 N/kg。如果用 g 表示这个比值，重力与质量的关系可以写成

$$\frac{G}{m} = g$$

或

$$G = mg$$

符号的意义及单位：

　　　　G —— 重力 —— 牛顿（N）

　　　　m —— 质量 —— 千克（kg）

　　　　$g = 9.8$ N/kg

在要求不很精确的情况下，可取 $g = 10\ \text{N/kg}$。

重力的方向

用细线把物体悬挂起来，线的方向跟物体所受重力的方向一致，这个方向就是我们常说的"竖直向下"的方向。

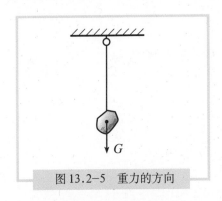

图 13.2-5 重力的方向

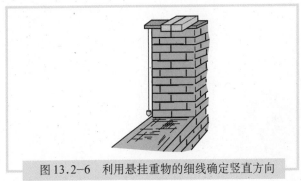

图 13.2-6 利用悬挂重物的细线确定竖直方向

建筑工人在砌砖时常常利用悬挂重物的细线来确定竖直方向，以此检查所砌的墙壁是否竖直。

想想议议

在图 13.2-7 中，地球上几个地方的苹果都可以向"下"落，但从地球外面看，几个苹果下落的方向显然不同。那么，我们所说的"下"指的是什么方向？

图 13.2-7
"下"在哪里?

重 心

地球吸引物体的每一部分。但是，对于整个物体，重力作用的表现就好像它作用在物体的一个点上，这个点叫做物体的**重心**(center of gravity)。

质地均匀、外形规则的物体的重心，很容易确定。例如方形薄板的重心在两条对角线的交点，球的重心在球心，而粗细均匀的棒的重心在它的中点。

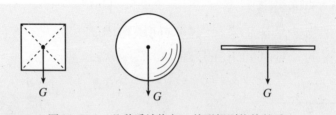

图13.2-8　几种质地均匀、外形规则物体的重心

想想做做

玩具"不倒翁"被扳倒后会自动立起来。自己做个不倒翁，研究其中的奥妙。

图13.2-9　不倒翁及其结构

科学世界

万有引力与航天

树上的苹果、天上的人造卫星，都受到地球引力的作用。万有引力不需要物体相互接触。

我们身边的物体，质量比太阳、行星、月球小得多，它们之间的万有引力非常小，小到我们不能觉察。例如，你与课本之间也存在万有引力。但是，由于你和课本之间的万有引力非常非常小，比地球对它的重力小得多，使得这个万有引力可以忽略。

万有引力的大小跟物体的质量有关。天体的质量非常大，它们之间的万有引力是非常大的。万有引力把地球和其他行星束缚在太阳系中，围绕太阳运转。

人类要探索宇宙，首先要摆脱地球的引力。早在1687年，牛顿就描述了实现飞离地球这一理想的途径：加大飞行的速度，可以使炮弹绕地球飞行，甚至飞入宇宙空间，直到无限远。

今天，人类已经飞出了地球，人造地球卫星和宇宙飞船都已经离开地球，进入太空，开始了探索宇宙的征程。

关于航天，你还知道哪些事实、哪些道理？讲给同学们。

动手动脑学物理

1. 一个南瓜的重量是30 N，它的质量是多少？

2. 月球对它表面附近的物体也有引力，这个力大约是地球对地面附近同一物体引力的 $\frac{1}{6}$。一个连同随身装备共90 kg的宇航员，在月球上重约多少牛顿？

3. 利用三角尺及其他物品，测量地面或桌面是否水平。

4. 一个桥头立着如图13.2－10所示的限重标志牌。这座桥面受到的压力超过多少时，就可能发生危险？

图13.2－10

摩擦力

自行车在水平道路上滑行，无论是什么路面，总会逐渐变慢，最后停止下来，这主要是自行车受到摩擦力的缘故。

摩擦力是一种很常见的力。两个互相接触的物体，当它们做相对运动时，在接触面上会产生一种阻碍相对运动的力，这种力就叫做**摩擦力**(friction force)。

图 13.3-1   在显微镜下看，物体的表面不光滑。

   探究

摩擦力的大小与什么因素有关？

当你推箱子时，箱子越重，推起来越费力；地面越粗糙，推起来越费力。看起来，影响摩擦力大小的因素可能有：

- 接触面所受的压力
- 接触面的粗糙程度
- ……

> 根据已有经验做出合理的猜想，这是科学探究中最具创造性的一环。

可以通过图13.3-2所示的实验验证你的猜想。

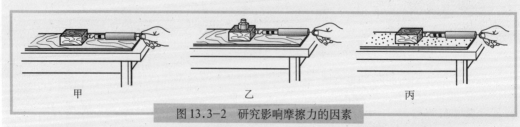

甲   乙   丙

图13.3-2   研究影响摩擦力的因素

用弹簧测力计匀速拉动木块，使它沿长木板滑动，从而测出木块与长木板之间的摩擦力；改变放在木块上的砝码，从而改变木块与长木板之间的压力；把棉布、毛巾等铺在长木板上，从而改变接触面的粗糙程度……

自己设计表格，记录测量数据。

通过这个实验，你得出了什么结论？

摩擦力的大小跟作用在物体表面的压力有关，表面受到的压力越大，摩擦力就越大。

摩擦力的大小还跟接触面的粗糙程度有关，接触面越粗糙，摩擦力越大。

科学世界

摩擦与我们

摩擦与我们息息相关。老师在黑板上写字是利用粉笔与黑板间的摩擦；走路时要利用鞋底与地面间的摩擦，摩擦力太小走路就很困难。汽车、自行车刹车时都要利用摩擦：雨雪天路滑，摩擦力小，刹车时车辆不容易停住，容易发生交通事故……

关于摩擦你可能知道得很多，说出相关的事例来。

机器工作时，运动的部件间要产生摩擦。这种摩擦不但白白消耗动力，而且使机器磨损。这时就要设法减小摩擦。你认为应该怎样减小摩擦？

图13.3-4　传送带靠货物与传送带之间的摩擦把货物送到高处

图13.3-3　火柴头与火柴盒之间的摩擦使温度上升，点燃火柴。

图13.3-5　这些场合要利用摩擦,如何加大它?

各种车辆都有轮子。轮子或球状物体滚动时产生的摩擦,往往比滑动时的摩擦小得多。

许多机器的轴上都安装了滚动轴承(图13.3-6)。滚动轴承的内圈紧套在轴上,外圈固定在轮上,两圈之间装着许多光滑的钢球或钢柱,摩擦就大大减小了。

图13.3-6　一种滚动轴承

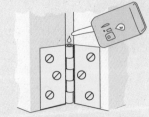

图13.3-7　加润滑剂可以减小摩擦

使两个互相接触的表面分开,也能减小摩擦。加润滑油可以在两个表面之间形成油膜,使它们互不接触,这样就减小了摩擦(图13.3-7)。

还可以利用压缩空气或电磁场使摩擦面脱离接触,摩擦变小。磁悬浮列车就是靠强磁场把列车从轨道上微微托起,使摩擦力大大减小的。

图13.3-8　滑冰时,冰面在冰刀的压力下稍有融化,这层水跟润滑油的作用一样。旱冰鞋上的轮子,也能减小鞋与地面的摩擦。

图13.3-9　气垫船的船底跟水面之间有一层空气垫,使得航行时的阻力减小。

动手动脑学物理

1.自行车刹车时，用力越大就停得越快，这是为什么？

2.自行车锁由于受到雨淋，不好用了。什么办法可以让锁变得好用？

3.观察自行车，看看自行车上哪些地方的设计是为了增大摩擦，哪些地方的设计是为了减小摩擦。自行车上有几处用到滚动轴承？

4.科学作文：没有摩擦的世界。

四 杠杆

我们的周围有各种各样的机械：提升重物的起重机，准确计时的手表，甚至小小的瓶起子……都是机械。

发明和使用机械，始终是伴随人类社会发展的重要活动。各种各样的机械都集中了人类的智慧。

图13.4-1 机械表是一种精密的机械

图13.4-2 点焊机器人

有的机械简单，有的机械复杂。不管机械多么复杂，都可以从中找到构成它们的基本元素——杆、轮、链条等。这里我们就从最简单的机械入手，了解它们是如何帮助我们人类的！

杠 杆

跷跷板、剪刀、扳子、撬棒等，都是杠杆。一根硬棒，在力的作用下能绕着固定点转动，这根硬棒就是**杠杆(lever)**。人类很早以前就在使用杠杆了。

为了了解杠杆的作用，我们先要熟悉几个名词。

图13.4-3 为什么使用杠杆可以搬动巨大的石块?

支点：杠杆绕着转动的点（图13.4-4各图中的O点）。

动力：使杠杆转动的力（图13.4-4各图中的F_1）。

阻力：阻碍杠杆转动的力（图13.4-4各图中的F_2）。

动力臂：从支点到动力作用线的距离（图13.4-4各图中的l_1）。

阻力臂：从支点到阻力作用线的距离（图13.4-4各图中的l_2）。

当杠杆在动力和阻力作用下静止时，我们就说杠杆平衡了。

甲

乙

丙

图13.4-4 几种杠杆

杠杆的平衡条件

探究

杠杆的平衡条件

我们要研究动力、动力臂与阻力、阻力臂之间有什么关系时杠杆能够平衡。

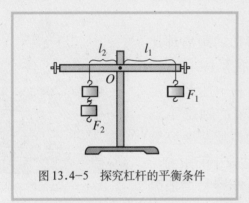

图13.4—5　探究杠杆的平衡条件

推门时，在门把手附近用力，很容易把门推开，而在门轴附近用力，要把门推开就很费劲了。

看来，推动杠杆需要的动力可能与动力臂的长短有关，动力臂越长，需要的动力可能就越小。

实验装置如图13.4—5所示。调节杠杆两端的螺母，使杠杆在不挂钩码时，保持水平并静止，达到平衡状态。

给杠杆两端挂上不同数量的钩码，移动钩码的位置，使杠杆平衡。这时杠杆两端受到的作用力等于各自钩码的重量。

把支点右边的钩码重量当作动力 F_1，支点左边的钩码重量当作阻力 F_2；量出杠杆平衡时的动力臂 l_1 和阻力臂 l_2；把 F_1、F_2、l_1、l_2 的数值填入表中。

改变力和力臂的数值，再做两次实验。

实验次数	动力 F_1/N	动力臂 l_1/m	阻力 F_2/N	阻力臂 l_2/m
1				
2				
3				

根据表中的数据进行分析，例如可以对它们进行加、减、乘、除等运算，找出它们之间的关系。对于开始时提出的问题，你能得出什么结论？

杠杆的平衡条件是

$$动力 \times 动力臂 = 阻力 \times 阻力臂$$

或写做

$$F_1 l_1 = F_2 l_2$$

杠杆的应用

我们身边的杠杆很多。图13.4－4甲中的撬棒，只要用很小的力，就能撬动很重的石头。这类杠杆是省力杠杆，它的动力臂比阻力臂长。

这种杠杆虽然省力，但是动力移动的距离却比阻力移动的距离大，省了力，却费了距离。

注意观察图13.4－6中赛艇的船桨。船桨也是杠杆。人坐在船上观察，划船时船桨的轴是不动的，所以轴是支点。手加在桨上的力F_1比桨要克服的水的阻力F_2大；但是手只要向后移动较小的距离，就能使桨在水中移动较大的距离，这样容易增加船

图13.4-6　赛艇的桨是杠杆

的速度。这种杠杆的特点是杠杆的动力臂比阻力臂短，动力比阻力大，可以把它叫做费力杠杆。这种杠杆虽然费力，但是动力移动的距离比阻力移动的距离小，省了距离。

天平(图11.2－1)也是杠杆。它的动力臂与阻力臂相等。

春

桔槔

图13.4-7　《天工开物》中的杠杆

杠杆在古代就有许多应用。图13.4-7是我国古书《天工开物》中的两幅图，描述了古人应用杠杆劳作的情景。

小小弹簧秤 称出大象重
——杭州动物园上演现代版曹冲称象

据《杭州日报》报道，在一把小小的弹簧秤面前，庞大的大象不情愿地"露"出了它的体重"隐私"：毛重2.4吨。6月22日，老天下起瓢泼大雨，勇敢的"突击手"在克服了诸多不利的自然因素后，经过7个多小时奋战，终于完成了现代版的"曹冲称象"。

称象现场设在大象馆旁的空地上，地上有一辆吊车、一只特制铁笼、一根十米长的槽钢。这些东西还只是辅助工具。真正的"主秤"是一把弹簧秤，是专门从计量部门借来的，不过也只能称起20公斤的重量。

许多市民专程赶来看稀奇。家住武林门的宣凤彩大妈看了前一天的报道，早上6点就和老姐妹结伴来到动物园了。她们简直不敢相信，敢和大象较劲的竟是位戴着眼镜、文质彬彬的书生。他姓周，是杭州一所中学的物理老师。

中午12点，电视台"不可能的任务"摄制组决定冒雨称象。一串香蕉引路，10岁的公象宾律迈着沉重的脚步，缓缓踱进吊在槽钢一头的铁笼。据说宾律是大象表演馆里的主力演员，会按摩、吹口琴等绝活儿。

图13.4-8 现代版曹冲称象

一声令下，吊车慢慢提升，周老师将挂在槽钢另一头的弹簧秤狠命往下拽。宾律在摇摇晃晃上升的铁笼里焦虑地张望。劈啪！铁笼底部的木板被压得"呻吟"起来。"稳住……称出来了！"弹簧秤上显示出了数字。经计算，大象和铁笼总重3吨，铁笼重0.6吨，大象约重2.4吨。这一数字与驯兽师提供的大象实际体重相差无几。尽管整个称象过程磕磕碰碰，一些观众埋怨铁笼吊得不高，看不清楚，但观察全程的物理专家认定：称象成功。

　　周老师究竟用了什么方法？他解释说，整个称象过程运用了物理学中的杠杆原理。吊车、槽钢、铁笼和弹簧秤的组合其实就是一把巨型杆秤，弹簧秤起了秤砣的作用。理论上说，只要力臂足够长，用很小的力就能撑起巨大的物体。成功后的周老师豪气冲天："有句名言：给我一个支点，我能撑起地球。科技的力量无穷，何况称一头小小的大象。"

（文／葛婷婷　摄影／李忠　原载2001年6月24日《北京青年报》）

阅读之后，请你回答：
根据弹簧秤的读数，怎样才能算出大象和铁笼的总重量？

动手动脑学物理

　　1.当自行车两个脚踏板转到什么位置时，用力蹬下的效果最好？为什么？

　　2.各式各样的剪刀都是一对对的杠杆。在图13.4-9中，哪些是省力杠杆，哪些是费力杠杆？要剪开较硬的物体，应该使用哪种剪刀？剪纸或布时，应使用哪种剪刀？修剪树枝时，应使用哪种剪刀？为什么？

　　3.标出图13.4-10中各种杠杆工作时的支点、动力和动力臂、阻力和阻力臂。

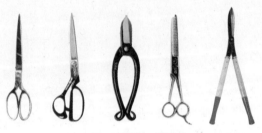

图13.4-9　各种剪刀

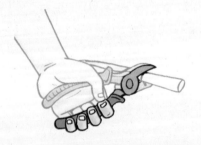

图13.4-10　标出支点、动力、动力臂、阻力、阻力臂。

　　4.指甲剪上有几个杠杆？分别是省力杠杆还是费力杠杆？

五　其他简单机械

上节课中的杠杆，是一种常用的简单机械。除了杠杆之外，滑轮、轮轴、斜面等也是简单机械，在生活中的应用也很广泛。

图 13.5-1　有什么科学道理?

定滑轮和动滑轮

高高的旗杆，矗立在操场上。旗手缓缓向下拉绳子，旗子就会徐徐上升。旗杆顶部有一个滑轮，它的轴固定不动，这种滑轮叫做定滑轮。起重机的吊钩上也有定滑轮……你还发现哪里有定滑轮?

还有一种滑轮，它的轴可以随物体一起运动，这种滑轮叫做动滑轮。你知道哪里安装着动滑轮?

滑轮也是简单机械。使用滑轮能给我们带来哪些好处?

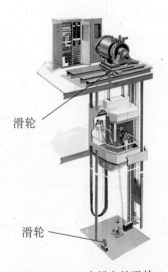

图 13.5-2　电梯上的滑轮

探究

比较定滑轮和动滑轮的特点

　　以钩码做重物，用弹簧测力计测量使用滑轮拉起重物的力，探究两种滑轮工作时的特点。

　　1. 分别安装定滑轮和动滑轮。可以参考图13.5-3。

　　2. 设计表格，分别用来记录实验时测力计拉力的大小和方向。

　　3. 分析实验数据，得出结论。结论要涉及以下几个方面。

● 使用定滑轮、动滑轮是否省力（或更费力）？

● 使用定滑轮、动滑轮是否省了距离（或需要移动更大的距离）？

● 什么情况下使用定滑轮，什么情况下使用动滑轮？

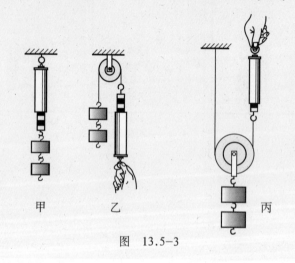

图　13.5-3

滑轮组

　　如果既需要改变力的方向，又需要省更多的力，单独使用定滑轮或动滑轮就无法满足我们的需要，于是就有了如图13.5-4的装置，即把定滑轮和动滑轮组合在一起的滑轮组。

图13.5-4　几个定滑轮和几个动滑轮可以组成滑轮组

想想议议

使用杠杆、滑轮等简单机械提起重物，有的省力，有的不省力；使用它们时，有的力可以移动较短的距离，有的力却要移动较长的距离。通过这几种简单机械的学习，你认为省力或费力、省距离或费距离，它们之间有什么关系？

科学世界

轮轴和斜面

轻轻转动门把手，就可以把门打开；司机用不大的力转动方向盘，在轴上就能产生较大的力使汽车转弯。门把手、方向盘等属于又一类简单机械——轮轴。

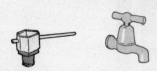

图13.5−5 轮轴

轮轴由一个轴和一个大轮组成，图13.5−5是一些轮轴的实例，请你指出它们的"轮"和它们的"轴"。轮轴有哪些特点？是省力机械，还是费力机械？你发现周围还有哪些物体是轮轴？

汽车沿着盘山公路，可以驶上高耸入云的山峰。上山的公路为什么修得弯弯曲曲如盘龙，而不是从山下直通山顶？

图13.5−6 扳子也是一个轮轴

　　找来一张三角形的纸，按照图13.5-8那样，可以模拟一个盘山公路的形状。展开这张纸看一看，原来是个斜面。汽车是沿它的哪个边爬到山峰的？汽车沿这个边爬到山峰，比起直通山顶的路，走的路程是多了还是少了？根据前面议论过的"力"与"距离"的关系，你是不是明白盘山公路的道理了？

图13.5-7　盘山公路

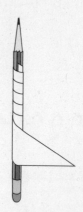

图13.5-8　模拟盘山公路

　　斜面也是一种简单机械，在生活和生产中随处可见。还有哪些场合人们利用了斜面？

图13.5-9　斜面也是简单机械

动手动脑学物理

1.物体重1000N，如果用一个定滑轮提起它，需要用多大的力？如果用一个动滑轮提起它，又要用多大的力？（不计摩擦及滑轮自重）

2.仔细观察自行车，看看它上面有几种简单机械，并分别说明它们各起到了什么作用。

3.解释图13.5－1的科学漫画。一个人要拉起比他体重大的重物，用定滑轮行吗？应该怎么办？

4.利用斜面可以省力，请你推测，使用什么样的斜面省力更多些？设计实验检验你的想法是否正确。

5.科学作文：查阅人类使用机械的相关资料，写一篇"新机械的畅想"小论文。

★有没有一种毯子，能够隔断地球对物体的吸引？

★_____

★_____

第十四章　压强和浮力

　　远远飞来几架飞机，它们排着整齐的队列，拖着五彩斑斓的烟雾，进入了人们的视野。激动人心的飞行表演终于拉开了序幕。最先亮相的飞机一出场就让人们大吃一惊：它径直向地面俯冲下来。"不好！"你心里这样想着，但还没等你叫出声来， 它又猛然掉头，直向蓝天飞去。

　　飞机为什么能在空中飞行而不掉下来？也许你会说，"飞机有翅膀，当然不会掉下来呀！"可是飞机的翅膀是固定不动的，并不像鸟儿的翅膀那样扑扇，飞机为什么也不会掉下来？

　　学过这一章你就会知道，回答这些问题并不很难。

阅读指导

　　学过本章以后，你就会明白以下问题。

一、压强
什么是压强？怎样增大和减小压强？

二、液体的压强
液体的压强有什么特点？什么是连通器？

三、大气压强
大气压有多大？哪些现象是由大气压引起的？

四、流体压强与流速的关系
气体压强与流速有什么关系？哪些地方会用到它？

五、浮力
浮力的大小等于什么？

六、浮力的利用
什么情况下物体上浮？什么情况下物体下沉？

一 压强

阅读图14.1−1和图14.1−2，你能提出什么问题？

图14.1−1 蝉可以把口器
插入树皮，吸吮树汁。

图14.1−2 骆驼具有宽大的脚掌，是沙漠之舟。

蝉吸吮树汁，口器插到树皮上时，一定对树皮有压力；骆驼站在地面上，它的脚对地面也有压力。蝉的口器能刺入树皮、骆驼的脚会往沙地中陷入一些，都是压力的作用效果。

 探究

压力的作用效果跟什么因素有关？

照图14.1−3甲那样，把小桌腿朝下放在泡沫塑料上；再照图乙那样，在桌面上放一个砝码；再把小桌翻过来。注意三次实验时泡沫塑料被压下的深浅，这显示了压力作用的效果。

甲、乙、丙三图所示的实验中，泡沫塑料受到的压力相同吗？三种情况下，泡沫塑料的受力面积、压力作用的效果是否改变？

想一想，压力的作用效果跟什么因素有关？

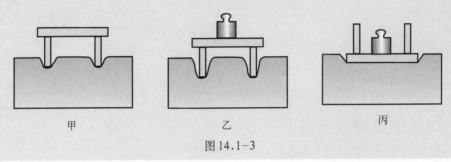

甲　　　　　　　乙　　　　　　　丙

图14.1-3

压 强

压力的作用效果不仅跟压力的大小有关，而且跟压力的作用面积有关。在图14.1-3的实验中，如果小桌对泡沫塑料的压力是30 N，在受力面积分别为3 cm²（桌腿）和30 cm²（桌面）时，每平方厘米面积所受的压力大小不同，这是造成小桌对泡沫塑料压痕深浅不同的原因。在物理学中，**把物体单位面积上受到的压力**叫做**压强（pressure）**。

如果用 p 表示压强，F 表示压力，S 表示物体的受力面积，压强的计算公式是

$$p = \frac{F}{S}$$

符号的意义及单位：

　　　　p —— 压强 —— 帕斯卡(Pa)
　　　　F —— 压力 —— 牛顿(N)
　　　　S —— 受力面积 —— 平方米(m^2)

在国际单位制中，力的单位是N，面积的单位是m^2，压强的单位便是N/m^2，读作**牛每平方米**，它有一个专用名称叫**帕斯卡（pascal）**，简称**帕**，符号为**Pa**，这是为了纪念法国科学家帕斯卡。

例题　桌面上平放一本教科书，书的重量约2.5 N，它对桌面的压力等于它的重力，与桌面接触面积约$4.7 \times 10^{-2}\ m^2$，试计算书对桌面的压强。

解　教科书静止地放在桌面上，所以

$$F = 2.5\ N$$

桌面的受力面积

$$S = 4.7 \times 10^{-2} \text{ m}^2$$

所以压强

$$p = \frac{F}{S} = \frac{2.5 \text{ N}}{4.7 \times 10^{-2} \text{ m}^2} = 53\frac{\text{N}}{\text{m}^2} = 53 \text{ Pa}$$

书对桌面的压强为53 Pa。

怎样减小或增大压强

任何物体能承受的压强都有一定的限度，超过这个限度，物体就会损坏。砖能承受的压强大约是6×10^6 Pa，松木(横纹时)是5×10^6 Pa，花岗岩是$(120 \sim 260) \times 10^6$ Pa。

在田间劳作时，为了不使拖拉机陷进地里，便要设法减小它对地面的压强。而用刀切东西、按图钉时，便要设法增大压强。

想想议议

用什么办法可以增大压强，什么办法可以减小压强？

下面的三幅图中，哪些是要增大压强？哪些是要减小压强？通过什么办法增大压强或减小压强？

总结增大压强、减小压强的办法。

图14.1-5　斧头具有很窄的刃

图14.1-4　推土机具有宽大的履带和锋利的土铲

图14.1-6　铁轨铺在一根根路枕上

动手动脑学物理

1．估测你站立时对地面的压强。

先估计你的体重，它的大小等于你对地面的压力。

再测量你站立时鞋底和地面的接触面积，为简单起见，假设双脚站在松软土地上，整个鞋印范围全部和土地接触（图14.1-7）。测量时，在方格纸上画出鞋底边缘的轮廓，看鞋底范围内占有多少个方格（不满一格时，凡大于半格的都算一格，小于半格的都不算），再乘以每一方格的面积。

根据得到的数据，计算你对地面的压强。

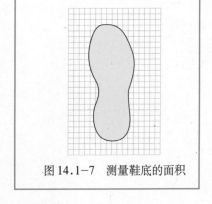

图 14.1-7　测量鞋底的面积

2．解释下列现象。

锯、剪刀、斧头等，用过一段时间就要磨一磨，为什么？背书包为什么要用扁而宽的带，而不用细绳？啄木鸟有个细长而坚硬的尖喙，这对它的生存为什么特别重要？假如尖喙变钝了，它还能成为"森林医生"吗？

3．骆驼的体重比马大不了一倍，而它的脚掌面积是马蹄子的三倍。这为"沙漠之舟"提供了什么有利条件？

4．坦克越过壕沟时，有一个简便办法：坦克上备有气袋，遇到壕沟时把气袋放下去，给气袋充气后，坦克通过壕沟就像走平地一样。设坦克的质量为 4×10^4 kg，履带着地面积为 5 m^2。当坦克的前一半履带压在气袋上时，坦克对气袋的压强是多大（设坦克前后是对称的）？

5．如图14.1-8，一个不漏气的薄塑料袋平放在桌面上，一根饮料吸管插在袋口边缘，把袋口折几折后用胶带封住，使塑料袋口不漏气。把两块正方形硬纸板相隔一定距离平放在塑料袋上，大纸板的边长是小纸板的两倍。在大纸板上放两个1元的硬币，在小纸板上放一个1元的硬币，然后用嘴慢慢向吸管吹气。

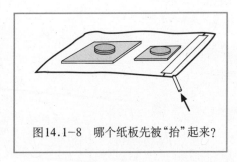

图14.1-8　哪个纸板先被"抬"起来？

请你判断：哪一个纸板会首先被塑料袋"抬"起来？做实验来检验你的判断。

如果要使两个硬纸板同时被举高，请你计算：这两个硬纸板上的硬币数目应满足什么条件？做实验来检验你的计算。

二 液体的压强

图 14.2-1 潜水艇用厚钢板制成

想想议议

带鱼生活在深海中。你见过活的带鱼吗？为什么？
潜水艇都用抗压能力很强的厚钢板制成，为什么？

液体压强的特点

液体内部只有向下的压强吗？有没有向侧面的压强甚至向上的压强？

图14.2-3是测量液体内部压强的仪器。当探头的薄膜受压强的作用时，U 形管左右两侧液面产生高度差，液面高度差的大小反映了薄膜所受压强的大小。

图 14.2-2 液体内部只有向下的压强吗？这张照片给你什么启示？

演　示

1. 如图14.2-3，把探头放进盛水的容器中，看看液体内部是否存在压强。保持探头在水中的深度不变，改变探头的方向，看看液体内部同一深度各方向的压强是否相等。

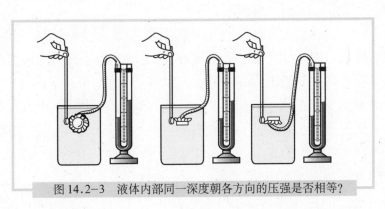

图 14.2-3　液体内部同一深度朝各方向的压强是否相等？

2. 增大探头在水中的深度，看看液体内部的压强和深度有什么关系。

3. 换用其他液体(例如盐水、煤油)，看看在深度相同时，液体内部的压强是否与密度有关。

结论：液体内部朝各个方向都有压强；在同一深度，各方向压强_____；深度增大，液体的压强_____；液体的压强还与液体的密度有关，在深度相同时，液体密度越大，压强_____。

液体压强的大小

许多同学从电影、电视中看到过：屏住呼吸的潜水者在海底采集海参、珍珠贝，背着氧气瓶的潜水员在较深的海中观察鱼类的生活。要在更深的海水中工作，就要穿潜水服了。这是由于海水的压强随深度而增大，在深水中要

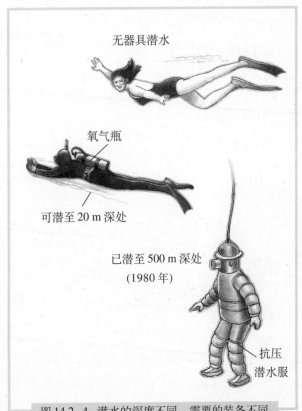

无器具潜水

氧气瓶

可潜至 20 m 深处

已潜至 500 m 深处
(1980 年)

抗压
潜水服

图 14.2-4　潜水的深度不同，需要的装备不同。

采用特殊的防护装备，以防身体被海水压坏。

液体在某一深度的压强有多大？

从上面的实验知道，由于液体有流动性，它的压强有不同于固体的特点。

液体对容器底和侧壁都有压强，液体内部向各个方向都有压强。

液体的压强随深度增加而增大。在同一深度，液体向各个方向的压强相等。不同液体的压强还跟它的密度有关系。

由于在同一深度，液体向各个方向的压强相等，我们只要算出某一深度液体竖直向下的压强，也就同时知道了液体在这一深度各个方向上压强的大小。下面我们来探究液体内某一深度压强的大小。

要知道液面下某处竖直向下的压强，可以设想在此处有个水平放置的平面，计算这个平面上方液柱对这个平面的压强(图 14.2−5)即可。设平面在液面下的深度为 h，平面的面积为 S。

同学们可以按下面的步骤思考。

1. 这个液柱的体积是多大？

$$V = Sh$$

2. 这个液柱的质量是多大？

$$m = \rho V = \rho Sh$$

3. 这个液柱有多重？对平面的压力是多少？

$$F = G = mg = \rho gSh$$

4. 平面受到的压强是多少？

$$p = \frac{F}{S} = \rho gh$$

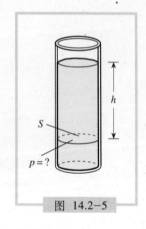

图 14.2−5

因此，深度为 h 处液体的压强为

$$p = \rho gh$$

想想议论

根据上面计算液体压强的公式，说一说，液体的压强跟哪些因素有关系？是什么关系？跟所取的面积有关系吗？

例题　如图 14.2-6，有甲、乙两桶煤油，底面积 $S_乙 = 3 S_甲$。哪桶煤油对底面的压强大些？哪桶对底面的压力大些？取 $g = 10 \text{ N/kg}$。

解：煤油柱对底面产生的压强只跟深度有关系，跟底面面积没有关系，图中甲、乙两个煤油柱的高度相同，所以对底面产生的压强也相同。

$$p_甲 = \rho_{煤油} g h_甲 = 800 \text{ kg/m}^3 \times 10 \text{ N/kg} \times 0.2 \text{ m}$$

$$= 1\,600 \text{ N/m}^2 = 1\,600 \text{ Pa}$$

因为

$$h_乙 = h_甲$$

所以

$$p_乙 = p_甲 = 1\,600 \text{ Pa}$$

根据 $p = \dfrac{F}{S}$，可知 $F = pS$。由于 $S_乙 = 3 S_甲$，因此 $F_乙 = 3 F_甲$。

两个煤油柱对底面的压强相等，都是 1\,600 Pa。乙桶的底面受的压力大。

> ⚠ 利用这个公式计算液体压强的时候，ρ 的单位一定要用 kg/m^3，h 的单位要用 m，计算出的压强单位才是 Pa。

想想议议

工程师们为什么要把拦河坝设计成下宽上窄的形状(图 14.2-7)？

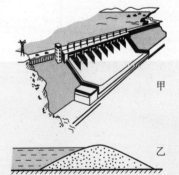

图 14.2-7　拦河坝

连通器

上端开口、下端连通的容器叫连通器。如图14.2-8，**连通器里的液体不流动时，各容器中的液面高度总是相同的。**

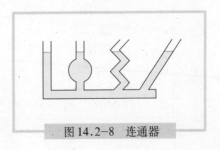

图 14.2-8　连通器

想想议议

连通器上各容器中的液面高度为什么总是相同的？从液体压强的角度来考虑，如果连通器上某一个容器的液面比别的高，那么……

甲　水壶与壶嘴组成连通器

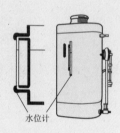

乙　锅炉与外面的水位计组成连通器

水位计

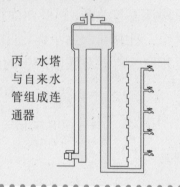

丙　水塔与自来水管组成连通器

图14.2-9　生活中常见的连通器

科学世界

三峡船闸——世界上最大的人造连通器

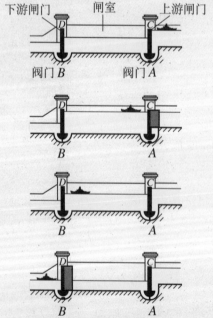

（打开上游阀门A，闸室和上游水道构成了一个连通器）

（闸室水面上升到和上游水面相平后，打开上游闸门，船驶入闸室）

（打开下游阀门B，闸室和下游水道构成了一个连通器）

（闸室水面下降到跟下游水面相平后，打开下游闸门，船驶向下游）

图14.2-10　船只通过船闸。请你分别说明船从上游驶往下游和从下游驶往上游时各闸门、阀门的启闭程序，说明在哪个阶段、船闸的哪些部分组成了连通器。

我国三峡工程是举世瞩目的跨世纪工程。三峡大坝建成水库蓄水最多时，大坝上下游的水位差最高可达113 m。巨大的落差有利于生产可观的电力，但也带来了航运方面的问题：下游的船只要驶往上游，怎样把这些船只举高一百多米？上游的船只驶往下游，怎样让船徐徐降落一百多米？解决这个问题的途径就是修建船闸。

船闸由闸室和上、下游闸门以及上、下游阀门组成。图14.2-10描述了一艘轮船由上游通过船闸驶往下游的情况。

三峡船闸总长1 621 m，是世界上最大的船闸。船只在船闸中要经过5个闸室使船体逐次升高(或降低)。每个闸室水位变化二十多米，因而三峡船闸的闸门非常高大，其首级人字闸门每扇门高近40m，宽二十多米，如果平放在地面上，有两个篮球场大，其宏伟气势亦为世界之最。倘若门外的水压在闸门上，设想有十万人每人都用一千牛顿的力来顶着门，也抵挡不住水的压力，可见水对闸门压力之大，为此，三峡船闸的闸门足足有3 m厚，无愧是"天下第一门"。

动手动脑学物理

1.一个空的塑料药瓶，瓶口扎上橡皮膜，竖直地浸入水中，一次瓶口朝上，一次瓶口朝下，这两次药瓶在水里的位置相同(图14.2-11)。为什么每次橡皮膜都向内凹？为什么橡皮膜在下端时比在上端时凹进得更多？

2.图14.2-12的两个容器中盛同种相同质量的液体，哪个容器底受到的压强大？

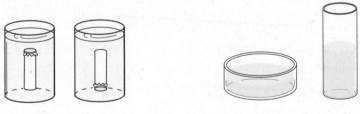

图14.2-11 　　　　　　　　　　图14.2-12

3.潜到海面下50 m的潜水员，受到的海水压强是多大？

4.刘家峡水电站的水库大坝高147 m，当水库水位为130 m时，坝底受到的水的压强是多大？

三   大气压强

　　液体内部朝各个方向都有压强，这是由于液体能够流动。空气也能流动，我们周围是否存在朝各个方向的大气压强？你能举出几个实例或者做几个简单的实验，来证实或否定大气压强的存在吗？

大气压的存在

我们思考以下这些现象的产生原因。

甲　塑料挂钩的吸盘贴在光滑的墙面上，能承受一定的拉力而不脱落。什么力量把它压在光滑的墙上？

乙　用吸管吸饮料时，什么力量使饮料上升到嘴里？

丙　铁桶内放些水，烧开后把开口堵住，再浇上冷水。什么力量把铁桶压扁了？

图 14.3-1　这些现象是大气压强引起的吗？

　　图14.3-1中的现象真是由于大气压强引起的吗？

　　我们可以进一步实验：图甲中如果把塑料吸盘戳个小孔，空气通过小孔进入吸盘和光滑的墙面之间，与外部压力平衡，吸盘便不可能贴在光滑的墙面上；图乙中如果把饮料瓶口密封起来，使大气不再能够进入瓶内，我们便无法不断地吸到饮料；图丙中如果不把铁桶的口堵住，铁桶内外的大气压强平衡，铁桶就不会被压扁。这些实验证明，大气压强确实是存在的。大气压强通常简称为**大气压**(atmospheric pressure)或气压。

大气压的测量

大气压究竟有多大？

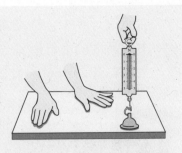

想想做做

将蘸水的塑料挂钩的吸盘放在光滑水平板上，挤出里面的空气。用弹簧测力计钩着挂钩缓慢往上拉(图14.3-2)，直到吸盘脱离板面。记录刚刚拉脱时弹簧测力计的读数，这就是大气对吸盘的压力。设法量出吸盘与桌面的接触面积，算出大气压的大小。

图 14.3-2 用吸盘测量大气压

上面的方法只能估测大气压，不很精确。图14.3-1乙表示，大气压可以把液柱托起来。根据大气压所能托起液柱的最大高度，就能精确地测出大气压的值。

演示（录像）

如图14.3-3，在长约1 m、一端封闭的玻璃管里灌满水银，用手指将管口堵住，然后倒插在水银槽中。放开手指，管内水银面下降到一定高度时就不再下降，这时管内外水银面高度差约760 mm，把管子倾斜，高度差也不发生变化。

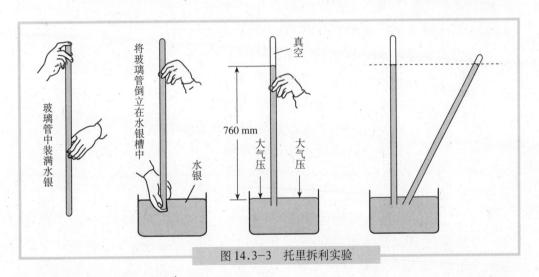

图 14.3-3 托里拆利实验

实验中玻璃管内水银面的上方是真空，管外水银面的上方是大气，因此，是大气压支持管内这段水银柱不落下，大气压的数值就等于这段水银柱所产生的压强。

这个实验最早是由意大利科学家托里拆利做的，他测得的水银柱高度为

760 mm，通常把这样大小的大气压叫做标准大气压：

$$p_0 = 1.013 \times 10^5 \, Pa$$

在粗略计算中，标准大气压还可以取作$10^5 \, Pa$。

不同高度的大气压不一样，天气的变化也会影响大气压。在海拔3 000 m以内，大约每升高10 m，大气压减小100 Pa。

想想议议

屋顶的面积是45 m²，大气对屋顶的压力有多大？这么大的压力为什么没有把屋顶压塌呢？

想想做做

观察大气压随高度的变化

取一个瓶子，装上适量带色的水。取一根两端开口的细玻璃管，在它上面画上刻度，使玻璃管穿过橡皮塞插入水中，从管子上端吹入少量气体，使瓶内气体压强大于大气压强，水沿玻璃管上升到瓶口以上(图14.3-4)。

请你拿着它从楼下到楼上(或从山下到山上)，观察玻璃管内水柱高度的变化情况，并做出解释。

注意瓶口必须密闭，不能漏气。不要用手直接拿瓶子，以免瓶子受热，影响瓶内气体的压强。

图14.3-4 自制气压计

测量大气压的仪器叫**气压计**(**barometer**)。在图14.3-3的实验中，玻璃管旁立一条刻度尺，读出水银柱的高度就知道当时的大气压了。这就是一个简单的水银气压计。水银气压计比较准确，但携带不便，常用于气象站和实验室。

用得比较多的气压计是金属盒气压计，又叫无液气压计，它的主要部分是一个波纹状真空金属盒(图14.3-5)。为使金属盒不被大气压扁，盒盖用弹簧片向外拉着，气压变化时，金属盒厚度发生变化，固定在盒盖上的连杆通过传动机构带动指针偏转，指示出气压的大小。氧气瓶上的气压计，就是一种无液气压计。

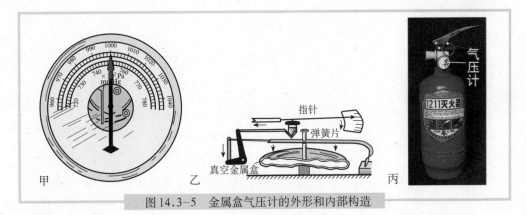

图14.3-5　金属盒气压计的外形和内部构造

想想议议

抽水机也叫水泵。图14.3-6画出了活塞式抽水机和离心式抽水机的工作图。你能对照这两幅图说出它们的工作过程吗?

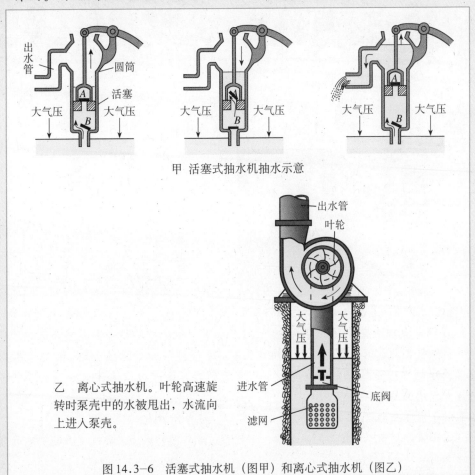

甲　活塞式抽水机抽水示意

乙　离心式抽水机。叶轮高速旋转时泵壳中的水被甩出,水流向上进入泵壳。

图14.3-6　活塞式抽水机(图甲)和离心式抽水机(图乙)

动手动脑学物理

1. 人血压的正常值（收缩压和舒张压）大约是标准大气压的多少分之一？自己查找资料进行估算。

2. 在德国马德堡市的广场上，1654年曾经做过一个著名的马德堡半球实验。把两个半径约20 cm的铜制空心半球合在一起，抽去里面的空气，用两支马队向相反的方向拉两个半球。如果平均一对马（左右各1匹）能产生的拉力是1.6×10^3 N，估计要用多少匹马才能把这两个球拉开？计算时可以把半球看成一个圆盘。

图 14.3-7

请你设计一方案，用压力锅进行马德堡半球的实验。

同学们在用压力锅做马德堡半球实验

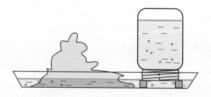

图 14.3-8 使水位保持一定的装置

3. 小明在假期中要外出旅游半个月，他担心家里盆景中的水会因蒸发而干掉，于是用了一个塑料瓶装满水倒放在盆景中，瓶口刚刚被水浸没（如图14.3-8）。他这样做为什么能使盆景中的水位保持一定的高度？请用家里的器具按这种方法试试看。生活中还有哪些地方可以用到这种方法？

4. 动手做本书八年级上册图0.1-10的实验，解释所看到的现象。

5. 用气压计测量不同楼层的大气压，用列表或者作图的方法表示大气压随高度的变化规律。

四　流体压强与流速的关系

气体、液体都可以流动，是流体。流动流体的压强跟它的流速有关系。

硬币"跳高"比赛

如图14.4-1，在离桌边2～3 cm的地方放一枚铝质硬币，在硬币前10 cm左右用直尺或钢笔等架起一个栏杆，高度约2 cm。在硬币上方沿着与桌面平行的方向用力吹一口气，硬币就可能跳过栏杆。比比看，谁能使硬币"跳"得最高。

是什么力使得硬币向上"跳"起来了？

图14.4-1　口吹硬币跳栏杆

气体压强与流速的关系

在上面的小实验里，硬币向上"飞"的过程中，只有空气与它接触，是不是硬币上下的压强不一样使它向上运动？由于吹气，上面空气的流速大，压强是不是与流速有关？是不是由于上面的流速大，压强变得比下面小了，于是下面的空气把硬币托起来了？

> 任何猜想和假设都不是凭空而来的，只有细心观察、勤于思考，才会有更多的"灵感"。

探究

如图14.4-2，用手握着两张纸，让纸自由下垂。在两张纸的中间向下吹气。如果空气的压强真的跟空气的流速有关系，这两张纸应该怎样运动？

做一做，检验你的猜想。

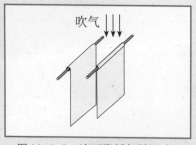

图 14.4-2 这两张纸怎样运动？

图 14.4-3 飞机机翼的形状

在气体和液体中，流速越大的位置压强越小。

飞机的升力

几十吨重的飞机为什么能够腾空而起？秘密在于机翼。你观察过飞机的机翼吗？它的截面是什么形状？

想想做做

把纸按图14.4-4甲的尺寸剪下，折成图乙的形状并用小段胶带固定，这就是飞机机翼的模型。MN是固定在机翼前端的细线。

把细线拉平绷紧，用嘴对着"机翼"前端细线的位置用力水平吹气，可以看到"机翼"在气流的作用下向上翘起。这是什么原因？

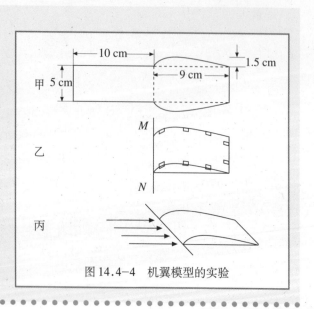

图 14.4-4 机翼模型的实验

飞机前进时，机翼与周围的空气发生相对运动，相当于有气流迎面流过机翼（图14.4-5）。气流被机翼分成上下两部分，由于机翼横截面的形状上下

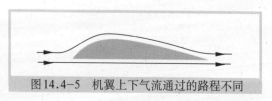

图 14.4-5 机翼上下气流通过的路程不同

不对称，在相同时间内，机翼上方气流通过的路程较长，因而速度较大，它对机翼的压强较小；下方气流通过的路程较短，因而速度较小，它对机翼的压强较

大。因此在机翼的上下表面存在压强差，这就产生了向上的升力。

动手动脑学物理

1. 在火车站或地铁站的站台上，离站台边缘1 m左右的地方标有一条安全线，人必须站在安全线以外的位置上候车。请分析，为什么当火车驶过时，如果人站在安全线以内，即使与车辆保持一定的距离，也是非常危险的。

2. 把长10 cm左右的饮料吸管A插在盛水的杯子中，另一根吸管B的管口贴靠在A管的上端。往B管中轻轻吹气，可以看到A管中的水面上升(图14.4-7)，这是什么原因？

如果用力吹气，A管中的水将从管口流出，想一想，这时会有什么现象发生？试试看。这个现象有什么实用价值？

3. 观察鸟类翅膀的形状，解释为什么鸟在空中展翅滑翔时不会坠落下来。

4. 当居室前后两面的窗子都打开时，"过堂风"会把居室侧面摆放的衣柜的门吹开，这是为什么？用硬纸做一个房屋模型，模拟这种现象。可以用侧室的"窗帘"代替衣柜的门。

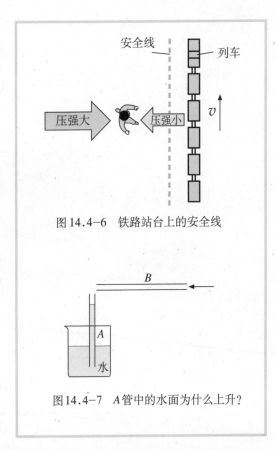

图14.4-6　铁路站台上的安全线

图14.4-7　A管中的水面为什么上升？

五　浮力

鸭子能漂在水面，是因为受到了水的**浮力**（**buoyancy**）。在水中下沉的铁块，也受到浮力吗？同样用钢铁制造的轮船，为什么能浮在水面呢？

浮力的大小

什么情况下物体受到的浮力比较大，什么情况下浮力比较小？

想想做做

1.造"船"比赛。

每组一块大小相同的橡皮泥，用它造一个小船，把图钉或者螺母、砂粒等当作"货物"，看谁的小船装载的"货物"最多。

通过这个比赛，请你猜测，浮力的大小可能跟什么因素有关？

图14.5-1　橡皮泥做的小船

图14.5-2　浮力可能跟什么因素有关？

2.在水桶中装多半桶水，用手把空的饮料罐按入水中，体会饮料罐所受浮力及其变化，同时观察水面高度的变化。

3.在弹簧测力计的下面悬挂一个铝块，把铝块浸入水中，比较前后两次测力计的读数。这说明什么问题？

> ⚠ 通过这个"想想做做"，你是不是想到了一种测量浮力的方法？说说看！

许多情况下，不能用测力计直接获得物体受到的浮力。那么，浮力的大小等于什么？在图14.5-2的实验中，如果开始时水桶中装满了水，按下饮料罐后水会溢出，饮料罐被按下得越深，受到的浮力越大，溢出的水也越多。这个实验现象启示我们，浮力的大小可能跟物体浸入液体后排开的液体的多少有关。下面我们进行探究。

 **探究**

浮力的大小等于什么?

在图14.5-3中，塑料块浸入水中之后，从烧杯中溢出的水叫做塑料块所"排开"的水。

利用图中的器材，测出塑料块在水中所受的浮力，再测出塑料块排开的水所受的重力，你能不能发现塑料块所受的浮力等于什么?

?　如果烧杯中的水没有溢出，我们怎样判断塑料块排水的多少?

　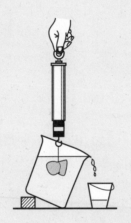　

1. 测出物体所受的重力。　2. 把物体浸入液体，测出物体所受的浮力，并且收集物体所排开的液体。　3. 测出被排开的液体所受的重力。

图14.5-3　用溢水杯探究浮力的大小

测量物体排开液体多少的原理，据说是两千多年前希腊学者阿基米德想出来的。阿基米德为了鉴定纯金王冠是否掺假，冥思苦想了很久而没有结果。一天，他跨进盛满水的浴缸洗澡时，看见浴缸里的水向外溢，他忽然想到：物体浸在液体中的体积，不就是等于物体排开液体的体积吗？随后他设计了实验，解决了王冠的鉴定问题。

　　浸在液体中的物体所受的浮力，大小等于它排开的液体所受的重力。这就是著名的**阿基米德原理**。用公式表示就是

> 阿基米德原理不仅适用于各种液体，也适用于各种气体。

$$F_浮 = G_排$$

　　例题　如图 14.5-4 甲，边长为 l 的一个立方体铜块，浸没在密度为 ρ 的液体内，受到的浮力是多少？如果立方体处于图乙的位置，浮力又是多少？如果把这个铜块压扁再让它浸没在液体中，所受的浮力会不会发生变化？

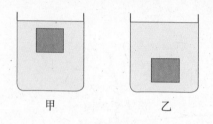

甲　　　　　　乙

图　14.5-4

　　解　根据阿基米德原理，铜块受到的浮力等于它所排开的液体所受的重力。这个问题中，铜块排开的液体的体积等于铜块本身的体积。

　　铜块排开液体的体积 $V_排$，即铜块的体积 $V_铜 = l^3$
$$V_排 = V_铜 = l^3$$

　　排开液体的质量 $m_排$
$$m_排 = \rho V_排 = \rho l^3$$

　　排开的液体所受的重力
$$G_排 = m_排 g = \rho g l^3$$

　　根据阿基米德原理，可以得到
$$F_浮 = G_排 = \rho g l^3$$

　　即　铜块所受的浮力等于 $\rho g l^3$。

　　如果铜块处于图 14.5-4 乙的位置，由于它仍然全部浸没在液体中，所以排开液体的多少与图甲相同，所以它所受的浮力仍为
$$F_浮 = G_排 = \rho g l^3$$

　　如果把铜块压扁，它的体积不会变化，排开液体的多少也不变，所以受到的浮力也不会变化。

动手动脑学物理

1.从日常生活和常见的自然现象中举两个例子说明浸入液体的物体受到浮力。

2.用什么实验可以证明在水中下沉的物体也受到水的浮力？浮力的方向如何？

3.一个重1N的物体，挂在弹簧测力计上，当物体浸没在水中时弹簧测力计的示数是0.87N，这个物体受到的浮力是多少牛？

4.同样重的铁块甲和乙，甲浸没在水中，乙浸没在煤油中，哪个铁块受到的浮力大？为什么？

5.动手做本书八年级上册图0.1-9中鸡蛋在自来水中下沉、在盐水中上浮的实验，解释所看到的现象。

6.1783年法国物理学家查理做成的世界上第一个氢气球，体积是620 m³。这个气球在地面附近受到的浮力有多大？（设地面附近气温是0 ℃，气压是标准大气压）

六　浮力的应用

想想议议

浸在液体中的物体都会受到浮力，但是有的物体要上浮，有的却要下沉，这是为什么？你能画出图14.6-1中物体所处几种状况下受力的情况吗？

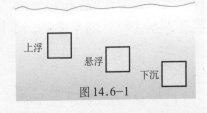

图14.6-1

浸在液体中的物体，当它所受的浮力大于重力时，物体上浮；当它所受的浮力小于所受的重力时，物体下沉；当它所受的浮力与所受的重力相等时，物体悬浮在液体中，或漂浮在液面上。

人类从远古时代就开始利用浮力了,最初可能是抱住或骑在一段树干上顺水漂流。这是人类最早的航行，利用了密度小于水的木材受到的浮力。

图 14.6-2 独木舟

图14.6-3 1405年郑和下西洋时乘坐的长约147 m的木船，是当时世界上最大的船。

后来人们发现，把树干挖空成为独木舟，不但乘坐舒适，还能承载更多的人和物(图14.6-2)。从浮力利用的角度看，这是个了不起的进步：采用"空心"的办法增大可以利用的浮力。即使最现代化的轮船，也保持着这种古老的办法。

演　示

把金属箔卷成一团放入水中，它能浮到水面上吗？把它做成中空的筒放入水中，它能浮在水面上吗？

甲

乙

图 14.6-4 金属箔能漂浮在水面上

金属箔是由密度大于水的材料制成的，它比同体积的水重，放入水中时受到的重力大于浮力，所以下沉。把它做成中空的筒，虽然受到的重力没有改变，但是可以使排开的水增多，受到的浮力增大，所以能够浮在水面上。

图 14.6-5 远洋客轮

轮　船

用密度大于水的材料制成能够浮在水面的物体，必须使它能够排开更多的水。根据这个道理，人们用钢铁制造了轮船。

轮船的大小通常用排水量来表示。排水量就是轮船按设计的要求装满货物——满载时排开的水的质量。如果有一只轮船，它的排水量是 1×10^4 t，在密度是 1×10^3 kg/m³ 的河水中，它满载时排开的河水的体积是多大? 如果它是在密度为 $1.03 \times 10^3 \, \mathrm{kg/m^3}$ 的海水中，它排开的海水的体积是多大? 它从河流驶入海里是浮起一些还是沉下一些?

潜水艇

潜水艇能潜入水下航行，进行侦察和袭击，是一种很重要的军用舰艇.

潜水艇两侧有水舱(图 14.6-6)，向水舱中充水时，潜水艇逐渐加重，就逐渐潜入水中。当水舱充水潜水艇重等于同体积的水重时，潜水艇可以悬浮在水中。当用压缩空气将水舱里的水排出一部分时，潜水艇变轻，从而上浮。实际航行时，上浮和下潜过程中潜水艇总要开动推进器加快上浮和下潜的速度。

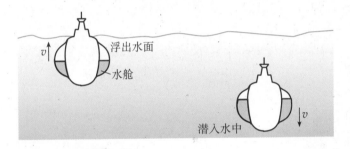

图 14.6-6 潜水艇的浮沉

普通潜水艇的潜水深度可达 300 m。

气球和飞艇

气球里充的是密度小于空气的气体。例如节日放飞的气球、携带气象仪器的高空探测气球，充的是氢气；体育、娱乐活动用的热气球，充的是被燃烧器烧热而体积膨胀的热空气。

为了能定向航行而不随风飘荡，人们把气球发展成飞艇：在大的气囊下面装了带螺旋桨的发动机和载人、装货的吊篮。20 世纪 20 至 30 年代，飞艇曾盛极一时,用来进行军事侦察、轰炸或作为空中交通工具。后来连续发生几次气囊中氢气爆炸的事故,飞行速度又不及飞机,便逐渐被飞机取代。近来由于能源危机,还由于用不会爆炸的氦气

图 14.6-7 热气球

代替了氢气，人们对造价低廉、消耗燃料少、装载量大的飞艇又重新重视起来。

图 14.6-8 飞艇

想想议议

假如由你来设计一个可以载人的带吊篮的气球，气球里充的是氦气，为了使乘客能降回地面，你打算采用什么办法？如果气球里充的不是氦气而是热空气，你又打算用什么办法？

动手动脑学物理

1. 一个质量是50 g的鸡蛋悬浮在盐水中不动时，它受到的浮力是_____N。(取 g=10 N/kg)

2. 排水量为1 000 t的轮船在河水中航行，满载时船及所装货物共重_____ N，受到河水的浮力是_____ N。如果河水密度为 1.0×10^3 kg/m^3，船排开的河水的体积是_____ m^3。(取 g =10 N/kg)

3. 一艘轮船从海里驶入河里，它受到的重力大小_____，它受到的浮力_____，它排开水的体积_____。(填"变大"、"变小"或"不变")

4. 一艘轮船空载时排开水的质量为2 600 t，满载时排水量为5 800 t。问：轮船自身的质量是多大？它最多能装载多少货物？

5. 配制适当密度的盐水，可以用来为某些农作物选种：把种子放在盐水中，漂浮的种子是不饱满的，沉底的种子是饱满的。请说明道理。

6. 关于物体受到的浮力，下面说法中正确的是：

   A. 漂在水面的物体比沉在水底的物体受到的浮力大；

   B. 物体排开水的体积越大受到的浮力越大；

   C. 没入水中的物体在水中的位置越深受到的浮力越大；

   D. 物体的密度越大受到的浮力越小。

我还想知道

★ 会不会有一天飞艇将取代飞机?

★

★

无处不在的能量

第十五章　功和机械能

满载游客的过山车，在机械的带动下向着轨道的最高端攀行……忽然，它像一匹脱缰的野马，从轨道的最高端飞驶而下！它又如一条蛟龙，时而上下翻腾，时而左摇右摆，时而驶上高高耸立着的大回环的顶端……

车上的游人有的瞪着眼、张着嘴、惊叫着，有的闭着眼、低着头、紧张着。乘坐过山车令人如此惊心动魄、激动不已！

你知道过山车的速度为什么有那么多的变化吗？你知道过山车为什么能够到达大回环的最高处吗？

阅读指导

学过本章以后，你就会明白以下问题。

一、功

什么情况下力做功？什么情况下力不做功？利用机械能省功吗？

二、机械效率

什么是机械效率？机械效率与哪些因素有关？

三、功率

什么是功率？

四、动能和势能

什么是动能？什么是势能？它们的大小跟什么因素有关？

五、机械能及其转化

什么是机械能？动能和势能能够相互转化吗？

一　功

力学中的功

"功"是个多义词，有"贡献"的意思，如功劳、立功；还具有"成效"的意思，如成功、事半功倍……同学们还可以列举出别的含义。力学里所说的"功"包含有"成效"的意思，但是它还具有更确切的含义。

力学主要是研究力和运动的关系。如果一个力作用在物体上，物体在这个力的方向移动了一段距离，这个力的作用就显示出成效，力学里就说这个力做了**功**（**work**）。

想想议议

图 15.1-1 是力做功的几个实例。想想这些做功的实例中，有什么共同点？

甲　物体在绳子拉力的作用下升高

乙　静止的小车在拉力的作用下向前运动

丙　汽车在刹车阻力的作用下滑行了一段距离

图 15.1-1　力做功的实例

图 15.1-2 是力没有做功的几个实例。结合实例，想想力为什么没有做功？

甲　搬而未起

乙　提着小桶在水平路上匀速前进，提桶的力没有做功

图 15.1-2　力不做功的实例

力学里所说的**功包含两个必要因素：一个是作用在物体上的力，另一个是物体在这个力的方向上移动的距离。**

在极光滑的水平面上滑动的冰块，靠惯性向前运动，虽然在水平方向通过了距离，但是并没有水平方向上的力作用于它，所以没有什么力做功。用力搬一块大石头而没有搬起，石头在力的方向上没有移动，人对石头的作用力也没有做功。

功的计算

作用在物体上的力越大，使物体移动的距离越大，这个力的成效越显著，说明力所作的功越多。

在物理学中，**把力与在力的方向上移动的距离的乘积叫做功：**

功＝力×力的方向上移动的距离

用公式表示就是

$$W = Fs$$

符号的意义及单位：

$$W —— 功 —— 焦耳(J)$$
$$F —— 力 —— 牛顿(N)$$
$$s —— 距离 —— 米(m)$$

在国际单位制中，力的单位是牛，距离的单位是米，功的单位是牛·米，它有一个专门的名称叫做**焦耳(joule)**，简称**焦**，符号是**J**。

$$1 J = 1 N \cdot m$$

例题 质量为50 kg的雪橇上装载了350 kg的货物，一匹马拉着它将货物匀速运到了3 000 m外的货场。如果雪橇行进中受到的摩擦力是800 N，求马运货时做的功。（$g = 10$ N/kg）

解 马拉车所用的力与摩擦力大小相等

$$F = F_摩 = 800 N$$

马移动的距离

$$s = 3\ 000 m$$

所以马做的功是

$$W = Fs = 800 N \times 3\ 000 m = 2.4 \times 10^6 J$$

功的原理

使用杠杆、滑轮这些简单机械能够省力，是否在省力的同时也能省距离呢？假如利用简单机械既省力又省距离，功＝力×距离，我们就省了功。下面我们用实验来探究使用简单机械是否可以少做功。

演　示

1.照图15.1–3那样，利用杠杆提起砝码。将砝码重G、动力——手的拉力F（由计算得出），以及测出的砝码升高的距离h和手移动的距离s，填入下表，算出直接将砝码提高h所做的功$W_1=Gh$和使用杠杆把它提高h所做的功$W_2=Fs$。

	砝码重 G/N	砝码提升高度h/m	直接用手所做的功 W_1/J	动力 F/N	手移动的距离s/m	使用机械所做的功 W_2/J
杠　杆						
动滑轮						

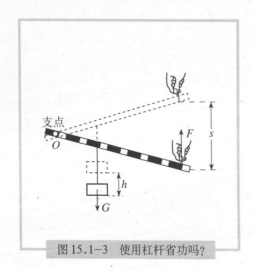

图15.1–3　使用杠杆省功吗？

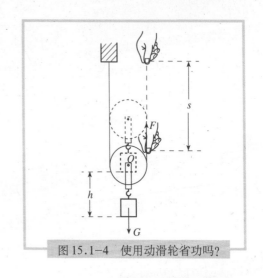

图15.1–4　使用动滑轮省功吗？

2.照图15.1–4那样利用动滑轮提起砝码，将实验数据及计算结果填入上表。

比较上述两个实验中使用机械时所做的功和直接用手所做的功，它们有什么关系？

大量事实表明：使用机械时，人们所做的功，都不会少于不用机械时所做的功，也就是**使用任何机械都不省功**。这个结论叫做**功的原理**。

动手动脑学物理

1.起重机臂将混凝土板从地面的A点吊起，上升到B点后，又平移到C点。在这个过程中，起重臂的拉力一直都在做功吗？为什么？

2.在水平地面上，用50 N的水平拉力拉重为100 N的小车，使小车沿水平方向上前进5 m，拉力所做的功等于_____J，重力所做的功等于_____J。

3.马拉着质量是2 000 kg的小车在水平路上前进了400 m，做了$3×10^5$J的功，马的水平拉力是多大？

4.2004年8月21日在雅典奥运会上，我国举重运动员唐功红获得女子75 kg以上级举重冠军，获得1枚金牌，她的挺举成绩是182.5 kg。估算一下，她在挺举过程中对杠铃大约做了多少功？

5.使用自重可以忽略的动滑轮提起50 N的重物，人对绳做的功是100 J，求动滑轮把物体提起的高度。

二 机械效率

要把重100 N的沙子运上三楼。图15.2−1中画了三种办法，同学们讨论一下：哪种办法最好，哪种办法最不好，为什么？

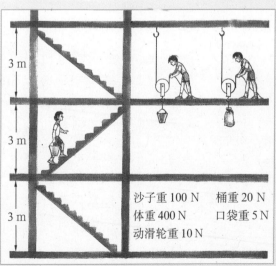

沙子重100 N   桶重20 N
体重400 N   口袋重5 N
动滑轮重10 N

图15.2−1　如果让你把重100 N的沙子运上三楼，图中的三种办法，你选哪种？

有用功和额外功

我们的目的是运沙子上三楼，所以把重 100 N 的沙子提高 6 m，做功 600 J，是必须做的功，这样做的功叫做**有用功**。

但是，在实际中人们为了达到工作目的，往往还不得不多做些功。例如，沙子要装在桶里或口袋里，桶或口袋要随沙子一起提到楼上。这就不得不做功把桶或口袋提高 6 m。这部分并非我们需要但又不得不做的功叫**额外功**。人们总是希望额外功在总功中占的比例少些，有用功在总功中占的比例高些。也就是说，希望机械的效率高些。机械运转时都有摩擦，克服摩擦也要做额外功。

有用功加额外功是总共做的功，叫**总功**。

机械效率

使用任何机械都不可避免地要做额外功。

有用功跟总功的比值叫机械效率。

如果用 $W_总$ 表示总功，$W_{有用}$ 表示有用功，η[①]表示机械效率，那么

$$\eta = \frac{W_{有用}}{W_总}$$

有用功总是小于总功，所以机械效率总是小于1。机械效率通常用百分数表示。例如总功是 500 J，有用功是 400 J，机械效率就是 $\frac{400\ J}{500\ J} = 0.8 = 80\ \%$。

> 现代社会是讲效率的社会，时时、事事、处处都要求高效率，以尽可能少的消耗，取得尽可能多的效益。"优胜劣汰"的"优"中，高效率是一个重要内容。

起重机的机械效率一般为 40～50 %，滑轮组的机械效率一般为 50～70 %，抽水机的机械效率一般为 60～80 %。

提高机械效率，更充分地发挥机械设备的作用，有重要的经济意义。提高机械效率的主要办法是改进结构，使它更合理、更轻巧。在使用中按照技术规程经常保养，定时润滑，使机械处于良好的运转状态，对于保持和提高机械效率也有重要作用。

---

① η：希腊字母，汉语拼音读法是 yīta。

例题　起重机把质量为0.6 t的重物匀速提升了3 m,而它的电动机所做的功是$3.4×10^4$ J,起重机的机械效率是多少?

解　起重机匀速提升重物所用的力等于物体所受的重力

$$F = mg$$

起重机提升重物所做的功是有用功

$$W_{有用} = Fh = mgh = 0.6×10^3\,\text{kg}×10\,\text{N/kg}×3\,\text{m} = 1.8×10^4\,\text{J}$$

起重机的电机所做的功是总功

$$W_{总} = 3.4×10^4\,\text{J}$$

因此,起重机的机械效率是

$$\eta = \frac{W_{有用}}{W_{总}} = \frac{1.8×10^4\,\text{J}}{3.4×10^4\,\text{J}} = 53\%$$

探究

斜面的机械效率

　　在影响机械效率的许多因素中,摩擦是一个重要因素。例如,把物体拉上斜面时,就要克服物体与斜面之间的摩擦力而做额外功。这里我们要研究的是,光滑程度一样的斜面,当它的倾斜程度不同时,斜面的机械效率是否相同。

　　如图15.2-2,一条长木板,一端垫高,成为一个斜面。我们的目的是把物体抬到高度为h的位置。为了省力,我们不把它竖直提升,而是沿着长为s的斜面把它拉上去。

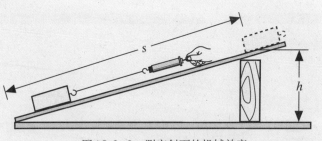

图15.2-2　测定斜面的机械效率

　　实验之前要考虑:怎样计算总功? 怎样计算有用功? 实验中需要测量哪几个量?

　　改变木板的倾斜程度,再测量两次斜面的机械效率。

　　实验之前要猜想:你认为省力多少与斜面的倾斜程度有什么关系? 斜

面的机械效率与它的倾斜程度有什么关系？

下面的记录表格可供参考。

斜面的倾斜程度	小车重量 G/N	斜面高度 h/m	沿斜面拉力 F/N	斜面长 s/m	有用功 $W_有/J$	总功 $W_总/J$	机械效率
较缓							
较陡							
最陡							

完成这个探究以后再看，你当初的猜想正确吗？

动手动脑学物理

1. 一台起重机将重 3 600 N 的货物提高 4 m。如果额外功是 9 600 J，起重机做的有用功是多少？总功是多少？机械效率是多少？起重机在哪些方面消耗了额外功？

2. 请你设计一个实验，测量动滑轮和定滑轮的机械效率。

3. 有没有机械效率为100％的机械？为什么？

4. 举例说明，通过什么途径可以提高机械效率。

三 功率

建筑工地上要把几百块砖送到楼顶，如果用人搬运需要几个小时，如果用起重机搬运，几分钟就可以了。这个例子说明，做相同的功，所需的时间是不同的，也就是说做功有快与慢之分。那么怎样表示做功的快慢呢？

想想议议

不同的物体做相同的功，所用的时间可能不同，时间短的做功快。

不同物体做功的时间相同，它们做功的多少可能不同，在相同时间内，做功多的物体，做功比较快。

图15.3-1中他们爬相同的楼时，做功相等吗？做功的快慢相同吗？

图15.3-1　他们爬相同的楼时，做功相等吗？做功的快慢一样吗？

就像用速度表示运动的快慢一样，我们用功率表示做功的快慢。单位时间内所做的功叫做**功率**（**power**）：

$$P = \frac{W}{t}$$

符号的意义及单位：

P —— 功率 —— 瓦特（W）

W —— 功 —— 焦耳（J）

t —— 时间 —— 秒（s）

在物理学上，功率用P代表，它的单位是**瓦特**（**watt**），简称**瓦**，符号是**W**。工程技术上还常用**千瓦**（**kW**）做功率的单位：

$$1 \text{ kW} = 10^3 \text{ W}$$

!

正体的 W 代表"瓦特"，是个单位；而斜体的 W 代表"功"，是一个物理量。

小资料

一些运动物体的功率

长时间运动时人的功率为数十瓦
优秀运动员短时间功率可达1 kW

长时间运动时马的功率为数百瓦

蓝鲸游动时功率可达350 kW

小轿车的功率为
数十千瓦至二百千瓦

电力机车和内燃机车的
功率为数千千瓦

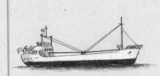

万吨级远洋货轮的功率
可达10 000 kW 以上

想想议议

我们用路程与时间之比"$\dfrac{s}{t}$"表示运动的快慢,也就是速度;用做功与时间之比"$\dfrac{W}{t}$"表示做功的快慢,也就是功率。想一想,在物理学中或在生活中,还有哪些场合需要表示一个物理量变化的快慢?我们是怎样表示的?

例题 建筑工地上,水泥板质量为0.7 t,起重机在15 s内把它匀速提升到4 m的高度,起重机提升重物的功率是多少?

解 先计算起重机做了多少功,再求单位时间所做的功,这就是功率。起重机的拉力与物体所受的重力相等

$$F = G = mg = 0.7 \times 1\,000 \text{ kg} \times 10 \text{ N/kg} = 7 \times 10^3 \text{ N}$$

物体在拉力的方向上移动的距离

$$s = 4 \text{ m}$$

所以起重机所做的功是

$$W = Fs = 7\,000 \text{ N} \times 4 \text{ m} = 2.8 \times 10^4 \text{ J}$$

起重机提升水泥板的功率是

$$P = \frac{W}{t} = \frac{2.8 \times 10^4 \text{ J}}{15 \text{ s}} = 1.9 \times 10^3 \text{ W}$$

起重机的电动机做功的功率也是 1.9 kW 吗？为什么？

动手动脑学物理

1. 功率是 25 kW 的拖拉机，它 4 h 做的功如果由平均功率是 0.4 kW 的耕牛去完成，需要多长时间？

2. 甲乙二人同时开始登山，甲先到达山顶。你能判定哪个人的功率大吗？为什么？

3. 某电梯的轿厢连同乘客的质量为 1.2 t，在 10 s 内从一层上升到七层。如果每层楼高 3 m，电梯电动机的功率至少是多少？

4. 全班同学进行爬楼比赛，看看谁的功率大。

5. 下表是某洗衣机的技术参数。阅读下表，你得到了哪些有关功率的信息？还能提出哪些有关功率的问题？

某洗衣机规格			
名称	微电脑全自动洗衣机	洗涤方式	新水流式
电源	～ 220 V 50 Hz	工作水压	0.03 MPa～0.8 MPa
额定洗涤容量	4.2 kg	额定脱水容量	4.2 kg
标准水量	40 L(高水位)	外形尺寸	538×510×910 mm³
额定用水量	100 L(全过程)	净量	26 kg
额定洗涤输入功率	350 W	额定脱水输入功率	220 W
电源线长度	约1.9 m	印刷品	使用说明书、维修卡

注意:接通电源，尚未开机时，因电子电路工作，约有1 W功耗。

四 动能和势能

动 能

子弹能击穿靶，流水能推动竹排，子弹、流水都做了功。物体能够对外做功，表示这个物体具有**能量**（energy），简称能。物体由于运动而具有的能，叫做**动能**（kinetic energy）。

在过去的学习中，你已经认识了能量。举出一些例子，说明还有哪些物体具有能量。

图15.4-1 运动的水具有动能

 探究

动能的大小与什么因素有关？

如图15.4-2，从斜面上滚下的铁球A碰上物体B后，能将B撞出一段距离。在同样的平面上，B被撞得越远，A的动能越大。

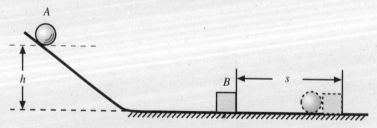

图15.4-2 物体的动能与什么因素有关？

自己设计实验，探究物体动能的大小与什么因素有关。可以利用木块和铁球，也可以利用完全不同的器材。

质量相同的物体，运动的速度越大，它的动能越大；运动速度相同的物体，质量越大，它的动能也越大。

小资料

城市街道上的最高行驶速度$v/(\text{km}\cdot\text{h}^{-1})$

车型	设有中心双实线、中心分隔带、机动车道与非机动车道分隔设施的道路	其他道路
小型客车	70	60
大型客车、载货汽车	60	50
……	……	

想想议议

用物理学的术语解释，为什么要对机动车的行驶速度进行限制？为什么在同样的道路上，不同车型的限制车速不一样？

为什么骑车速度不要太快？

图15.4-3　为什么骑车的速度不要太快？

势 能

滑雪运动员从高处滑下来时具有了动能，是因为缆车将他送到山顶时给他的身体存储了能量。物体由于被举高而具有的能量，叫做**重力势能**。

射箭运动员把弓拉弯，给弓存储了能量；被球拍击扁的网球，也具有能量（图

甲　缆车把滑雪运动员送到山顶，给他的身体存储了能量。

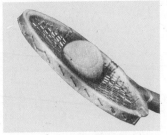

乙　球拍将网球击扁，使网球存储了能量。

图15.4-4　物体由于被举高或发生了弹性形变而具有势能

15.4-4乙)。物体由于弹性形变而具有的能量叫做**弹性势能**。

重力势能和弹性势能统称**势能**(potential energy)。

探究

重力势能的大小与哪些因素有关?

请你做出猜想,然后用身边的物品,例如书包里的书、纸、橡皮等进行实验,验证(或否定)你的猜想。可以从物体下落时的破坏力来判断它的势能大小。

小组之间要进行讨论,然后派出代表进行全班交流。

> 与功的单位一样,动能和势能的单位也是**焦耳**(joule),简称**焦**,符号是**J**。重量为1 N的物体(质量约为0.1 kg),被提升1 m所获得的能量,就是1 J。

小资料

一些物体的动能E/J

抛出去的篮球	约30	跑百米的运动员	约3×10^3
行走的牛	约60	飞行的步枪子弹	约5×10^3
从10 m的高处落下的砖块	约2.5×10^2	行驶的小汽车	约2×10^5

动手动脑学物理

1. 阅读图15.4-5的剪报。用物理知识解释:为什么小小的馒头能把人砸伤?

新民晚报   1990年6月10日

195次列车上飞出一只馒头

一铁路职工"中弹"昏倒

望旅客不要往窗外乱扔杂物

本报讯   5月29日晚6时,从

沈阳开往上海的195次旅客列车经过上海铁路分局管辖的沪宁线103 K区段时,突然从列车左翼车窗飞出一只馒头,不偏不倚正好打在当班的上海铁路分局苏州工务段职工×××的鼻梁上,当场将其击昏。

图15.4-5 馒头也能伤人

2. 物体的质量和它的速度都能影响物体的动能。请你研究小资料的数据，能不能看出：质量和速度相比，哪个对物体的动能影响更大？

3. 拦河大坝（图15.4-6）使上游的水位升高，提高水的势能。水从大坝的上游流下时冲击水轮机，水的势能最终转化为电能。

瑞士的大笛克桑斯大坝高284 m，我国葛州坝水电站的拦河坝高70 m。有人说前者水的重力势能比后者的大，能够这样简单地得出结论吗？为什么？

图15.4-6　水坝

4. 到当地交通管理部门调查，因车辆超速行驶引起的交通事故，占交通事故总数的比例是多少？

五　机械能及其转化

1. 观察滚摆的运动，讨论滚摆在运动过程中动能和势能是如何变化的。

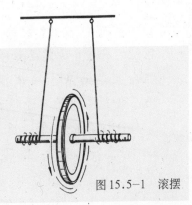

图15.5-1　滚摆

2. 分析图 15.5-2 所示几个运动中，物体动能、势能的转化。

弹簧

甲　上发条后，体操人
上下翻转不停地运动

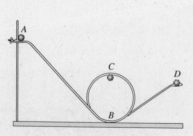

乙　从高处滚下的小球

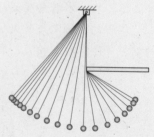

丙　小球从左端摆到右端

图 15.5-2　动能和势能的转化

3. 设计一个小实验，亲手做做，用来表现物体动能、势能的转化。

机械能

动能与势能统称为**机械能**(mechanic energy)。动能是物体运动时具有的能量，势能是存储着的能量。动能和势能可以互相转化。

如果只有动能和势能相互转化，机械能的总和不变，或者说，机械能是守恒的。

想想做做

用绳子把一个铁锁悬挂起来。把铁锁拿近自己的鼻子，稳定后松手，头不要动。铁锁向前摆去又摆回来。铁锁摆回时会碰到你的鼻子吗？会距离你的鼻子很远吗？

在这个实验里，铁锁的动能和势能在不断转化。在转化过程中，机械能的总量有什么变化吗？

图15.5-3　铁锁会打到鼻子吗？

科学世界

人造地球卫星

　　人造地球卫星在大气层外环绕地球运行。它的速度很快，一天内可以绕地球飞行几圈到十几圈，能够迅速获取大量信息。因此人造卫星广泛用于全球通信、军事侦察、气象观测、资源普查、环境监测、大地测量等方面。1957年10月4日，苏联发射了世界上第一颗人造地球卫星。美国于当地时间1958年1月31日也发射了人造地球卫星。

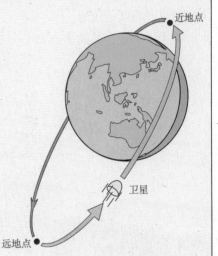

图15.5-4　人造地球卫星的轨道示意图

　　1970年4月24日，中国成功地发射了自己的第一颗人造卫星，卫星轨道的近地点高度是439 km，远地点高度是2 384 km，轨道平面与地球赤道平面夹角为68.5°，绕地球一圈需要114 min。卫星质量为173 kg，用20.009 MHz的频率播送"东方红"乐曲。

　　阅读了以上材料后，回答下面的问题。

　　1.人造卫星沿椭圆轨道绕地球运行。离地球最近的一点叫近地点，最远的一点叫远地点。卫星在运行过程中机械能守恒。当卫星从远地点向近地点运动时，它的势能、动能、速度如何变化？当卫星从近地点向远地点运动时，它的势能、动能、速度又如何变化？

　　2.卫星在近地点的动能最_____，势能最_____；在远地点的动能最_____，势能最_____。

动手动脑学物理

1. 分析撑杆跳高运动员(图13.1-1乙)在跳高时的能量转化过程。

2. 分析章首图的翻滚过山车在运动过程中的能量转化情况。翻滚过山车的简化模型见图15.5-2乙。

3. 怎样向地板抛乒乓球，才能使它弹跳到高于原来抛球的位置？根据机械能守恒的观点说明这种抛法的理由。

4. 打夯时，夯锤高高抛起又下落，砸在工作面上。请你说说打夯的过程发生了哪些机械能的转化。

图15.5-5 打夯

5. 举出两个例子，说明在有摩擦的情况下，机械能不守恒。

6. 在一个罐子的盖和底各开两个小洞。将小铁块用细绳绑在橡皮筋的中部穿入罐中，橡皮筋两端穿过小洞用竹签固定。做好后将它从不太陡的斜面滚下。观察是否有什么出人意料的现象。怎样解释看到的现象？

图15.5-6 会有什么出人意料的现象？

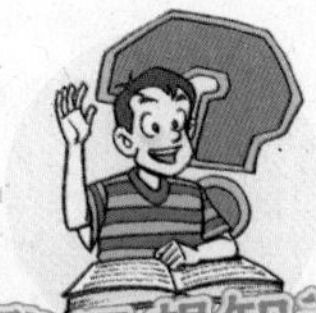

我还想知道

★ 能不能设计一种机械，只做有用功不做额外功？

第十六章 热和能

火，能驱散寒冷、黑暗，带来温暖和光明。五十万年前，我们的祖先就用火来取暖、照明，还用火来驱赶野兽。

火，给人类驱散了蒙昧，带来了文明。人类利用火来煮食物。熟食的习性，在人类的进化中起着重要的作用。

钻木取火，是人类第一次使用的自然力。古老的蒸汽机车给人们带来了巨大的动力。

火，是多么神奇！

即使是现在，我们依然需要火来取暖、煮饭。

火，给我们带来能量。我们怎样利用火带来的能量？通过"热和能"的学习，你就能找到答案。

阅读指导

学过本章以后，你就会明白以下问题。

一、分子热运动
物体内部的分子是怎样运动的？分子之间是否存在作用力？

二、内能
什么是内能？ 怎样改变物体的内能？

三、比热容
什么是比热容？为什么沙漠地区昼夜温差特别大？

四、热机
如何把内能转化成机械能？热机的发明在人类历史上有什么重要意义？

五、能量的转化和守恒
能量守恒定律的内容是什么？为什么说能量守恒定律是一个最普遍、最重要的基本定律？

一 分子热运动

物质是由分子组成的。如果把分子设想成球形，它的直径大约只有10^{-10} m，因此在一个物体中，分子的数目是巨大的。现代大型计算机每秒可以计算100亿（10^{10}）次，如果人们计数的速度也这么快，一个人要把1 cm³的空气中的分子数完，也要80多年！

扩散现象

打开一盒香皂，很快就会闻到香味。这是为什么？

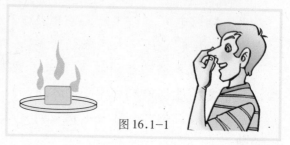

图16.1-1

演 示

在装着红棕色二氧化氮气体的瓶子上面，倒扣一个空瓶子。使两个瓶口相对，之间用一块玻璃板隔开（图16.1-2）。抽掉玻璃板后，会发生什么变化？

二氧化氮的密度比空气大，它能进到上面的瓶子里去吗？

图16.1-2 气体扩散的实验

这个实验演示的是一种**扩散**（diffusion）现象。

扩散现象也可以发生在液体之间。在量筒里装一半清水，水下面注入硫酸铜溶液。硫酸铜溶液的密度比水大，沉在量筒的下部，可以看到无色的清水与蓝色硫酸铜溶液之间明显的界面。静放几天后，界面逐渐模糊不清了（图16.1-3）。

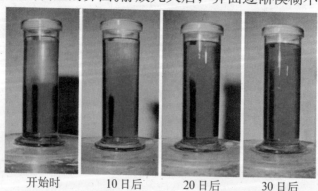

开始时　　10日后　　20日后　　30日后

图16.1-3 液体扩散的实验

固体之间也能发生扩散现象。把磨得很光的铅片和金片紧压在一起，在室温下放置5年后再将它们切开，可以看到它们互相渗入约1 mm深。

演 示

影响扩散快慢的主要因素是什么？

在一个烧杯中装半杯热水，另一个同样的烧杯中装等量的凉水。用滴管分别在两个杯底注入一滴墨水，比较两杯中墨水的扩散现象。

想想议议

分析实验现象，讨论以下问题。

1.前面的几个实验是否说明分子在不停地运动着？

2.分子的运动快慢跟温度有关系吗？

3.你还能对分子的运动做出哪些推测？

> 通过直接感知的现象，推测无法直接感知的事实，这是物理学中常用的方法。关于这种方法，你还能举出其他例子吗？

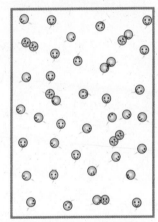

一切物质的分子都在不停地做无规则的运动。由于分子的运动跟温度有关，所以这种无规则运动叫做分子的**热运动**(thermal movement)。温度越高，热运动越剧烈。

图16.1-4 扩散现象是这样产生的

分子间的作用力

扩散现象表明，分子在不停地运动。既然分子在运动，那么固体和液体中的分子为什么不会飞散开，而总是聚合在一起，保持一定的体积呢？

演 示

将两个铅柱的底面削平、削干净，然后紧紧地压在一起，两块铅就会结合起来，甚至下面吊一个重物都不能把它们拉开。

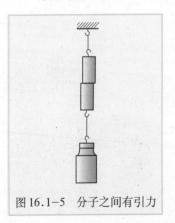

图16.1-5 分子之间有引力

分子之间存在引力。分子间的引力使得固体和液体能保持一定的体积，它们里面的分子不致散开。

既然分子之间有间隙，为什么压缩固体和液体很困难呢？这是因为**分子之间存在斥力**。由于斥力的存在，使得分子已经离得很近的固体和液体很难进一步被压缩。

图16.1-6 分子之间既有引力又有斥力，就像被弹簧连着的小球。

分子之间既有引力又有斥力。这就好像被弹簧连着的小球（图16.1-6）。当分子间的距离很小时，作用力表现为斥力；当分子间的距离稍大时，作用力表现为引力。如果分子相距很远，作用力就变得十分微弱，可以忽略。

动手动脑学物理

1.举出几个扩散现象的例子。

2.分别在冷水杯和热水杯中放入糖块，经过相同的时间后，品尝杯中的水，哪一个更甜？为什么？

3.用细线把很干净的玻璃板吊在弹簧测力计的下面，记住测力计的读数。使玻璃板水平接触水面，然后稍稍用力向上拉玻璃板（图16.1-7）。弹簧测力计的读数有什么变化？解释产生这个现象的原因。

4.关于分子，你认为下面说法中错误的是：

　　A.一切物体都是由分子组成的

　　B.分子做永不停息的运动

　　C.分子之间存在相互作用力

　　D.有的分子之间只有引力，有的分子之间只有斥力

图 16.1-7 测力计的读数有变化吗?

二　内能

想想议议

装着开水的暖水瓶有时会把瓶盖弹起来，推动瓶盖的能量来自哪里？

内　能

　　分子在不停地做着无规则的热运动。同一切运动的物体一样，运动的分子也具有动能。物体的温度越高，分子运动得越快，它们的动能越大。

　　由于分子间有相互作用力，所以分子间还具有势能。

　　物体内部所有分子热运动的动能与分子势能的总和，叫做物体的**内能**（internal energy）。

> 内能的单位也是焦耳(J)，各种形式能量的单位都是焦耳。

图16.2-1　运动着的足球具有动能，运动着的分子也具有动能。

图 16.2-2　弹簧形变时具有势能，相互吸引或推斥的分子也具有势能。

　　一切物体，不论温度高低，都具有内能。铁水具有内能，冰块也具有内能。同一个物体，在相同物态下，温度越高，分子热运动越剧烈，内能越大。物体温度降低时，内能会减少。

> ⚠ 机械能与整个物体的机械运动情况有关，内能与物体内部分子的热运动和分子间的相互作用情况有关，所以内能是不同于机械能的另一种形式的能。

图16.2-3　铁水和冰块的温度虽然不同，但它们都具有内能。

想想议议

物体的温度变化，它的内能就发生了变化。要改变物体的内能，有哪些办法？

想想做做

怎样改变物体的内能？找来一根粗铁丝，想办法使它的温度升高从而内能增加。看看谁的办法多。

物体内能的改变

使温度不同的物体互相接触，低温物体温度升高，高温物体温度降低。这个过程，叫做热传递。发生热传递时，高温物体内能减少，低温物体内能增加。

在热传递过程中，传递内能的多少叫做**热量**（quantity of heat）。物体吸收热量，内能增加；放出热量，内能减少。吸收或放出的热量越多，它的内能改变越大。

能量的单位是焦耳，所以热量的单位也是焦耳。

除了热传递外，还有什么途径可以改变物体的内能吗？

为什么冷天人们喜欢搓手？   下滑时臀部有什么感觉？

图 16.2-4 你有过这些体验吗？这是为什么？

演示

1.如图16.2-5甲，在一个配有活塞的厚玻璃筒里放一小团蘸了乙醚的棉花，把活塞迅速压下去，观察发生的现象。

2.如图16.2-5乙，大口玻璃瓶内有一些水，水的上方有水蒸气。给瓶内打气，当瓶塞跳出时，观察瓶内的变化。

在上述实验中，通过什么途径改变了玻璃筒（或玻璃瓶）内空气的内能？

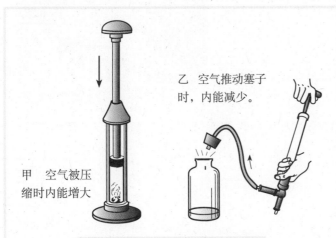

乙　空气推动塞子时，内能减少。

甲　空气被压缩时内能增大

图16.2-5　做功改变物体的内能

瓶内原有的水蒸气是无色透明的，看不见；瓶内出现白雾，说明水蒸气液化，变成了小水滴。这说明了什么问题？与这节学习的内能有什么关系？

地球的温室效应

太阳通过热传递把能量输送到地面，温暖了地球，养育了万物。

但是，地球表面的温度也不能过高，否则两极的冰雪融化，使得海平面上升，浸没城市，大片良田盐碱化。温度的升高还会影响全球气候，使得一些地区暴雨成灾，而另外一些地区干旱少雨，促使土地荒漠化。

实际上，地表受热后，也会产生热辐射，向外传递热量。大气中的二氧化碳气体阻挡这种辐射，地表的温度会维持在一个相对稳定的水平。这就是温室效应。

大气层中的大部分二氧化碳是自然产生的，然而现代工业大量燃烧煤炭和石油，产生更多二氧化碳；另外由于人类大量砍伐森林，削弱了植物因光合作用对二氧化碳的消耗。这些都加剧了地球的温室效应。这是近年来全球气候变暖的重要原因。

在因特网上进入任何一个有搜索功能的网站，键入关键词"温室效应"，你就能从中学到更多有关温室效应的知识。

图16.2-6　加剧的温室效应使得多年的积雪融化了

动手动脑学物理

1.一小杯水和一大桶水，它们的温度相同，它们的内能是否相同？如果不同，哪一个内能大？

2.为什么说，同一物体，温度越高，它的内能就越大？

3.举出生活中一些通过热传递直接利用内能的例子。

4.用物理学的术语解释"摩擦生热"和"钻木取火"。

5.把图钉按在铅笔的一端，手握铅笔使图钉在粗糙的硬纸板上来回摩擦，然后用手感觉图钉温度的变化，并解释这种变化。

三 比热容

想想议议

烧水时，水吸收的热量与水的质量有什么关系？与水温升高的多少有什么关系？要用生活中观察到的现象来支持你的观点。

结论：对于同一种物质，例如水，_____

_____。

对于不同的物质，例如一种是水，另一种是食用油，如果它们的质量相同、温度升高的度数也一样，它们吸收的热量是否相同？

探究

比较不同物质的吸热能力

如果水和食用油的质量相同、吸收的热量也相同，我们比较它们温度升高的多少，从而研究它们吸热能力的差异。

可以使用的实验器材有：两个酒精灯、两个金属盘、温度计……

设计实验时要考虑很多问题，其中包括

（1）怎样得到质量相同的水和食用油？是不是还需要其他器材？

（2）怎样确定水和食用油是否吸收了相同的热量？

（3）……

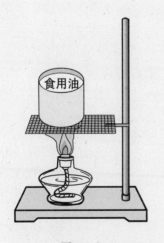

图 16.3-1

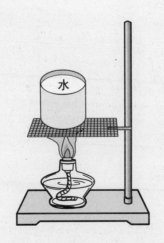

图 16.3-2

也可以换用其他液体或固体来做这个实验。

比热容

不同的物质，在质量相等、温度升高的度数相同时，吸收的热量是不同的。

怎样表示各种物质在这种性质上的差别呢？物理学中引入了比热容这个物理量。单位质量的某种物质，温度升高1 ℃所吸收的热量叫做这种物质的**比热容**（specific heat）。比热容用符号c表示，它的单位是**焦每千克摄氏度**，符号是**J/(kg·℃)**。

比热容是物质的一种属性，每种物质都有自己的比热容。

> 单位质量的某种物质，温度降低1℃放出的热量，与它温度升高1℃吸收的热量相等，数值上也等于它的比热容。

小资料

一些物质的比热容 $c/[\text{J}\cdot(\text{kg}\cdot\text{℃})^{-1}]$

水	4.2×10^3	铝	0.88×10^3
酒精	2.4×10^3	干泥土	0.84×10^3
煤油	2.1×10^3	铁、钢	0.46×10^3
冰	2.1×10^3	铜	0.39×10^3
蓖麻油	1.8×10^3	水银	0.14×10^3
砂石	0.92×10^3	铅	0.13×10^3

想想议议

我国北方楼房中都装有"暖气"，用水做介质，把燃料燃烧时产生的热量带到房屋中取暖。用水做输运能量的介质有什么好处？生活中、各种产业中，还有没有用水来加热或散热的情况？

热量的计算

如果已经知道一种物质的比热容，那么在知道这种物质的质量和温度升高的度数后，就能计算它吸收的热量。

想想议议

已知铝的比热容是0.88×10^3 J/(kg·℃)，这表示质量是1 kg的铝块温度升高1 ℃时吸收的热量是0.88×10^3 J。计算：把质量为2 kg、温度为30 ℃的铝块加热到100 ℃，铝块吸收的热量是多少？

如果以Q代表物体吸收的热量，c代表物质的比热容，m代表物体的质量，t_0和t分别是加热前后物体的温度；通过上面的计算，可以总结出一个由比热容计算热量的公式：$Q = \underline{\qquad\qquad\qquad\qquad}$。

如果要计算物体降温时放出的热量，公式会有什么不同？

STS

气候与热污染

夏季，人们喜欢到海边休息。白天，海风轻拂，带来丝丝凉意，夜间却不会很凉。而沙漠的夏天，温度变化较大，白天气温可达60 ℃，夜晚则能降到10 ℃左右。海边与沙漠的气候为什么会这么不同？

水的比热容是沙石的4.5倍，也就是说，要使水和沙石上升同样的温度，水能吸收更多的热量，因而在同样受热的情况下，水的温度变化比沙石小得多。白天，阳光照在海上，由于海水的比热容较大，吸收了热量，海水的温度变化并不大，所以海边的气温不会很高。由于沙石的比热容较小，吸收同样的热量，温度会

图 16.3-3　沙漠地区的昼夜温差很大

图16.3-4　海边的昼夜温差较小

上升很多，所以沙漠的昼夜温差很大。

气温不仅受自然环境的影响，还受人造环境的影响。城市的工业和交通急剧发展，每天都消耗大量燃料。燃料燃烧产生的内能，只有一部分做了有用功，大部分成为环境热源。电灯、电机、汽车、火车、空调、冰箱等都在向环境散发热量，城市里过多的人口散发的热量也很可观。大城市散发的热量可以达到所接收的太阳能的2/5，从而使城市的温度升高，这就是常说的热岛效应。

电力、冶金、石油、化工、造纸等行业，都通过冷却水和烟筒向环境散热，造成工业热污染，给人类造成危害……

看来，科学技术是一把双刃剑，在给我们造福的同时，也给人类的环境带来了负面影响。采取一些有效的手段，例如植树造林，提高能源利用率，更多地利用太阳能、水能、风能，都可以控制环境的热污染。

为了保护我们的地球家园，赶快行动吧！

动手动脑学物理

1.相同质量的铝和铜，吸收了相同的热量，下列说法正确的是：

　　A.铝上升的温度较高；

　　B.铜上升的温度较高；

　　C.铝和铜上升的温度相同。

2.关于比热容，下列说法中正确的是：

　　A.物体的比热容跟物体吸收或放出的热量有关；

　　B.物体的比热容跟物体的温度有关；

C.物体的质量越大,它的比热容越大;

D.物体的比热容是物体本身的一种属性,与温度、质量都没有关系。

3.在烈日当空的海边玩耍,你会发现沙子烫脚,而海水却是凉凉的。这是为什么?

4.有一根烧红的铁钉,温度是800℃,质量是1.5 g。它的温度降低到20℃,要放出多少热量?

四 热机

演 示

如图16.4-1,在试管内装些水,用橡皮塞塞住,加热使水沸腾,会看到什么现象?

讨论这个过程中能量转化的情况。

!　注意:软木塞不要塞得太紧,免得试管炸裂伤人。

图16.4-1 水沸腾后会出现什么现象?(为了安全,试管外面可以加金属网)

这个实验,展示了人类利用内能的过程。

燃料的化学能通过燃烧转化为内能,又通过做功,把内能转变成机械能。热机的种类很多,例如蒸汽机、内燃机、汽轮机、喷气发动机等。尽管它们的构造各不相同,但都是把内能转化为机械能的机器。热机的广泛使用,使人类迈入了工业化社会。

内燃机

汽车是我们生活中不可缺少的交通工具,用在汽车上的动力机械,就是内燃机。在现代社会中,内燃机是最常见的热机。

内燃机在汽缸内燃烧汽油或柴油。

图16.4-2 一种内燃机剖面图

大多数汽车里的内燃机是燃烧汽油的，也叫汽油机。汽油在汽缸里面燃烧时生成高温高压的燃气，用来推动活塞做功。图16.4-2是一种内燃机的剖面图。

　　活塞在汽缸内往复运动时，从汽缸的一端运动到另一端的过程，叫做一个冲程。多数汽油机是由吸气、压缩、燃烧——膨胀做功、排气四个冲程的不断循环来保证连续工作的。图16.4-3是四冲程汽油机汽缸的工作示意图。

　　吸气冲程:进气门打开，排气门关闭，活塞向下运动，汽油和空气的混合物进入汽缸。

　　压缩冲程:进气门和排气门都关闭，活塞向上运动，燃料混合物被压缩。

　　做功冲程:在压缩冲程结束时，火花塞产生电火花，使燃料猛烈燃烧，产生高温高压的气体。高温高压的气体推动活塞向下运动，带动曲轴转动，对外做功。

　　排气冲程:进气门关闭，排气门打开，活塞向上运动，把废气排出汽缸。

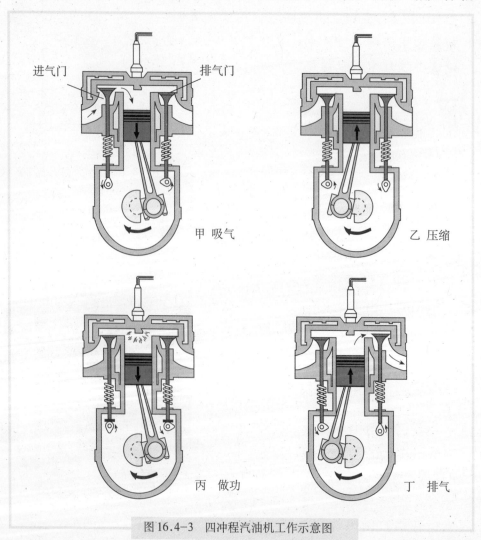

图16.4-3 四冲程汽油机工作示意图

想想议议

1.在四个冲程中,哪些冲程发生了能量的转化?

2.哪个冲程使汽车获得动力?

3.哪个冲程排出了汽车的尾气?

科学世界

现代汽车

汽车已经成为现代生活中不可缺少的一部分。

汽车由发动机、底盘、车身和电器设备四大部分组成。发动机把燃料燃烧产生的内能变为机械能,再通过底盘上的传动机构,将动力传给车轮,使汽车行驶。汽车电器设备的作用是产生电火花以点燃气缸中的可燃气体、启动发动机时用电机带动飞轮旋转、提供灯光等用电设备的电源。

图16.4-4 汽车的内部结构

随着电子技术的发展,许多汽车已经采用了电子燃油喷射系统,用微电脑控制燃油的供应量,取代了传统的化油器系统。这样的内燃机工作时,汽缸吸入的不是汽油和空气的混合物,而是纯净的空气,在压缩冲程结束时,喷油嘴将一定数量的汽油喷入。这样可以提高汽油雾化的质量。由于有了微电脑的控制,它可以根据内燃机的工作状态和空气的温度等多种因素精确控制喷油的数量和时机,提高燃烧效率。

采用电子燃油喷射系统的发动机与采用化油器的发动机相比，可以减少有害气体的排放，降低燃料的消耗，同时提高发动机的功率。

电子技术在汽车上的应用，使汽车有了更广阔的发展空间。未来的汽车将更加节能、安全，对环境的影响会更小。

燃料的热值

人类在原始社会就知道燃烧柴薪来取暖、烧饭。燃料的燃烧是一种化学反应，燃烧过程中，储藏在燃料中的化学能被释放，转变成周围物体的内能。在现代社会，人类所用能量的绝大部分依然是从燃料的燃烧中获得的。

想想议议

燃料的种类很多，固体燃料有木柴、煤等，液体燃料有汽油、柴油等，气体燃料有煤气、天然气等。根据你的经验，相同质量的不同燃料，燃烧时放出的热量是不是相同？要找出事实来支持你的论点，并进行分析。

图16.4-5　燃烧天然气的锅炉

燃烧相同质量的不同燃料，放出的热量是不同的。例如，燃烧1 kg煤放出的热量，是燃烧1 kg木柴放出热量的二倍多。

1 kg某种燃料完全燃烧放出的热量，叫做这种燃料的热值[①]。热值的单位是焦每千克，符号是J/kg。

燃料很难完全燃烧，放出的热量往往比按热值计算出的要小，而且有效利用的热量又比放出的热量要小。

①对气体燃料，热值指的是1 m³燃料完全燃烧放出的热量，单位是焦每立方米，符号是J/m³。

小资料

一些燃料的热值

干木柴	约1.2×10^7 J·kg^{-1}	柴油	4.3×10^7 J·kg^{-1}
烟煤	约2.9×10^7 J·kg^{-1}	煤油	4.6×10^7 J·kg^{-1}
无烟煤	约3.4×10^7 J·kg^{-1}	汽油	4.6×10^7 J·kg^{-1}
焦炭	3.0×10^7 J·kg^{-1}	氢	1.4×10^8 J·kg^{-1}
木炭	3.4×10^7 J·kg^{-1}	煤气	约3.9×10^7 J·m^{-3}
酒精	3.0×10^7 J·kg^{-1}	沼气	1.9×10^7 J·m^{-3}

例如用煤烧水，有效利用的热量只是被水吸收的热量，其余的热量都散失了。

通常的锅炉，燃料利用率比较低，在节约能源上潜力很大。例如取暖用的小型锅炉，如果把煤磨成煤粉，用空气吹进炉膛，就会比煤块燃烧得更完全。如果把煤粉黏结成煤粒，加大送风量，把煤粒在炉膛里吹起来燃烧，可以燃烧得更充分。用各种办法加大受热面，可以减少烟气带走的热量。

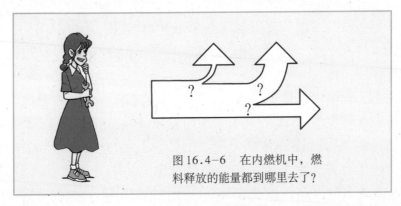

图 16.4-6　在内燃机中，燃料释放的能量都到哪里去了？

如果燃料释放的能量用来开动热机，这些能量也不会全部用来做有用功。用来做有用功那部分能量，与燃料完全燃烧放出的能量之比，叫做热机的**效率**（**efficiency**）。蒸汽机的效率很低，只有6%～15%。内燃机中，燃料是在机器内部燃烧的，而且燃料与空气混合充分，燃烧得比较完全，所以内燃机的效率比蒸汽机的高。汽油机的效率为20%～30%，柴油机的效率为30%～45%。

在热机的各种能量损失中，废气带走的能量最多。设法利用废气的能量，是提高燃料利用率的重要措施。热电站就是利用蒸汽轮机的废气来供热的。这种既供电又供热的热电站，比起一般的火电站来，燃料的利用率大大提高。

从火车到火箭

　　生产的发展需要更为强大的动力，17世纪，人类发明了热机。

图16.4-7　斯蒂芬逊的"火箭号"蒸汽机车，它诞生于1829年。

　　最早的热机是蒸汽机。在锅炉里把水烧成水蒸气，水蒸气在汽缸里推动活塞做功。原始的蒸汽机不便于使用，后来许多人对它不断改进，其中贡献最大的是英国人瓦特，他在1782年发明了往复式蒸汽机，使蒸汽机成为可以广泛使用的动力机。这种蒸汽机在之后的一百多年里对工业的发展起了极其重要的作用。

　　蒸汽机过于笨重，效率很低，现在世界各国都不再生产蒸汽机了。

　　交通运输的发展迫切需要比较轻便的热机。于是，内燃机应运而生。内燃机有汽油机、柴油机两大类。汽油机是1876年发明的，柴油机是1892年发明的。内燃机运行时不需要携带水和煤，不但轻便，效率也提高了很多。内燃机的出现和不断改进，对交通运输事业的现代化起到了决定性的作用。

　　电力工业的发展需要功率巨大的热机，来带动大型发电机。1884年出现的蒸汽轮机满足了这个需要。大型锅炉产生的高温高压水蒸气直接喷射到汽轮机的叶片上，使蒸汽轮机转动。大型火电站的巨大锅炉，有五六层楼房那样高，它里面安装的蒸汽轮机，功率可达几十万千瓦。

　　早期的飞机是由内燃机提供动力的。从上世纪40年代开始，飞机上日益普遍使用喷气式发动机，它靠向后高速喷出气体而前进。在功率相同

图16.4-8　小轿车使用汽油机，挖土机使用柴油机，货船使用大型柴油机。

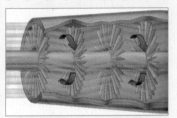

图 16.4-9 高温高压水蒸气直接推动蒸汽轮机的叶片

时，喷气式发动机比内燃机更轻便，这就使生产高速的大型飞机成为可能。

喷气式发动机有两种：需要用大气中的氧气来助燃的，叫空气喷气发动机，在飞机上使用；自带燃料和氧化剂的叫火箭喷气发动机，它工作时不需要空气，可以在大气层外工作，能够用来发射人造卫星和宇宙飞船。

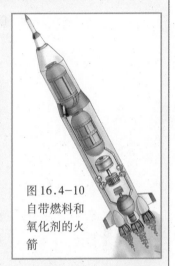

图 16.4-10 自带燃料和氧化剂的火箭

热机使人类摆脱了繁重的体力劳动，促进了生产的发展，带来了工业革命。现代社会在交通、航天、电力工业等很多方面都离不开热机。对热机的研制和改进将会进一步推动社会生产力的发展。

动手动脑学物理

1. 设计实验，比较两种固体燃料(例如干花生米和蓖麻子)的热值。也可以比较两种液体燃料(例如煤油和菜籽油)的热值。

2. 查阅汽车、拖拉机的技术手册，或向司机、维修人员询问，了解各种汽车、拖拉机的耗油量、最大功率，结合当地汽油、柴油的价格及其他因素，对各种运输工具的经济性做出评估。

3. 给铁罐焊上一个细管。从易拉罐剪下一块薄铝板制成一个直径约5 cm的轮子。把小轮子固定在粗铁丝上，架起来，使它能绕架子转动(图16.4-11)。在铁罐内盛些水。点燃酒精灯，铁罐内的水沸腾，水蒸气从喷口喷出，这就成了一个小小的蒸汽轮机。

图 16.4-11 小小蒸汽轮机

五　能量的转化和守恒

能的转化

自然界中的各种现象都是互相联系的。可以从能量的角度反映这种联系吗?

想想做做

完成下面一组小实验。

1.来回迅速摩擦双手。

2.黑塑料袋内盛水,插入温度计后系好,放在阳光下。

3.将连在小电扇上的太阳电池对着阳光。

4.用钢笔杆在头发或毛衣上摩擦后再靠近细小的纸片。

……

观察实验所发生的现象,讨论发生了哪些能量转化。

你还能指出一些事实,说明力现象与热现象有联系、力现象与电现象有联系、电现象与热现象有联系吗? 最好把现象演示给大家。

在一定条件下,各种形式的能都可以相互转化:摩擦生热,机械能转化为内能;水电站里水轮机带动发电机发电,机械能转化为电能;电动机带动水泵把水送到高处,电能转化为机械能;植物吸收太阳光进行光合作用,光能转化为化学能;燃料燃烧时发热,化学能转化为内能……

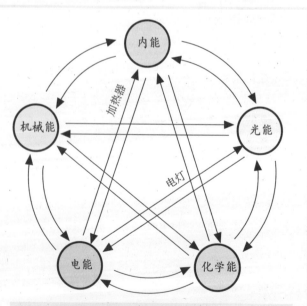

图 16.5-1　各种形式的能量都可以在一定条件下相互转化,图中给出了两个实例。你能做些补充吗?

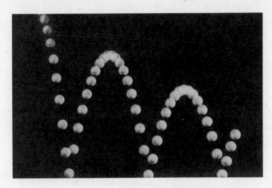

想想议议

停止用力，秋千会越摆越低，掉在地上的弹性小球会跳起，但是越跳越低。

讨论秋千和小球在运动中的能量转化。

为什么它们的高度会逐渐降低？是否丢失了能量？

图16.5-2　小球在地面弹跳的频闪照片

你认为减少的机械能到哪里去了？

能量守恒定律

科学工作者经过长时间的探索，发现自然界的各种现象不是孤立的，而是互相联系的。用能量的观点可以反映这种联系。

大量事实证明，任何一种形式的能在转化为其他形式的能的过程中，能的总量是保持不变的。 也就是说，**能量既不会凭空消灭，也不会凭空产生，它只会从一种形式转化为其他形式，或者从一个物体转移到另一个物体，而在转化和转移的过程中，能量的总量保持不变。** 这就是**能量守恒定律**（law of energy conservation）。

能量守恒定律是自然界最普遍、最重要的基本定律之一。大到天体，小到原子核，也无论是物理学的问题还是化学、生物学、地学、天文学的问题，所有能量转化的过程，都服从能量守恒定律。能量守恒定律是人类认识自然、利用自然、保护自然的有力武器。

向地球要热

地球是一个巨大的热库。大多数学者认为，地球中心——地核的温度在3 700～4 500 ℃之间，这个温度比白炽灯丝热得多。如果人们真的能乘坐"地下火箭"去地核探险，必须穿上绝热材料制作的防护衣并且戴上深色墨镜。那里可以说是一片火海了。

地球内部的热量主要是地球内放射性元素衰变时释放出来的。这些放射性元素每年大约要发出27.3万亿亿焦耳的热。但是，地壳是热的不良导体，阻碍着地热外流，每年平均只有8.4万亿亿焦耳的热散发到宇宙空间，其余的内能就储存在巨大的地下热库里了。

有人估计，仅陆地部分地面以下3 km之内的地壳，它的地热能储量，大约相当140万亿吨标准煤，是全世界煤炭远景储量的13倍以上。

我国是最早研究和开发地热资源的国家之一。远在公元前五六百年的春秋时期就有了开发地下热水的记载，汉代的张衡也著有《温泉赋》。

我国已经发现的温泉有两千多处，地下热水温度大多在60 ℃以上。个别地方达到100～140 ℃呢！

利用地热发电，是开发地热的好办法。

如果地热田不断地向外喷射蒸汽或者喷射蒸汽与热水的混合物，那就可以把蒸汽引入汽轮机，直接推动汽轮机发电。

在我国的西藏高原，有一个羊八井地热区，地热电厂担负着拉萨市一部分电力供应。电厂用过的热水冷却后可以游泳。远处是白色的雪山，近处是热气腾腾的温泉浴池，看起来别有一番感受。

直接把地下热水取来供暖，也是开发地热的一种好办法。北京市区已经开发了多处地热井，直接用来冬季供暖。

地热是一种新能源，怎样利用地热，还是正在探索的一个重大课题。

图16.5-3 高温喷泉

动手动脑学物理

1.释放化学能的过程不断地发生在你的体内。食物也是一种"燃料"，营养成分在人体细胞里与氧结合，提供细胞组织所需能量。这种过程没有火焰，但化学能同样可以转变为内能，因此人的体温保持在37 ℃左右。从能量守恒的角度说说，食物提供的化学能还转变为哪些能量？

人体摄入的能量(营养师常称之为热量)过多、过少，都有损于健康.对于正在长身体的初中学生，每天应该摄入多少能量？应该如何调整饮食？查阅资料、进行调查，写一篇科学报告，并与同学交流。

图16.5-4　哪种食物向人体供给的能量多？

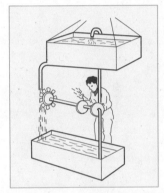

图16.5-5　一种设想中的永动机

2.图16.5-5的构思图表现的是一种不需要耗用任何能量而能永远不停工作的机器——"永动机"。讨论一下，这种构思能够实现吗？

我还想知道

★为什么有些人总想制造永动机？ _____

★ _____

★ _____

第十七章 能源与可持续发展

历史上许多民族都将太阳作为顶礼膜拜的神明。如果没有太阳，地球就会处在黑暗和冰冷的长夜中，它也不会孕育出任何生命。

实际上，夜幕中那些向我们眨眼的星星都是恒星，不过它们离我们非常遥远，所以看起来没有太阳那么大、那么亮。太阳是一颗离地球最近的恒星。许多恒星比太阳还大。每颗恒星都在释放巨大的能量，它们每时每刻向外辐射着惊人的光和热。

太阳和其他恒星为什么会辐射如此巨大的能量？地球上的能量都是由太阳提供的吗？太阳能够永无止境地发出光和热吗？让我们在本章中一起探索这些有趣的问题吧！

阅读指导

学过本章后，你就会明白以下问题。

一、能源家族

什么是能源？能源可以划分为哪些种类？

二、核能

什么是核能？怎样利用核能？核能有什么优点和缺点？

三、太阳能

为什么说太阳是一个巨大的核能火炉？为什么太阳是地球的能源之母？怎样利用太阳能？

四、能源革命

人类文明的进步与能量转化有什么关系？

五、能源与可持续发展

世界和我国能源利用的现状如何？能源开发与可持续发展有什么关系？

一　能源家族

我们已经认识了各种形式的能。　运转的发电机产生电能；灯泡发光，产生光能……我们生活中利用的这些能量，它们的来源在哪里？或者说，我们利用了哪些种类的能源呢？

想想议议

小组讨论，结合生活和生产上能源的使用情况，看看能源大致分为哪几类。

图17.1-1　开采煤炭

图17.1-2　开采石油

图17.1-3　地热发电站

我们今天使用的煤、石油、天然气，是千百万年前埋在地下的动植物经过漫长的地质年代形成的，所以称为**化石能源**。

像化石能源一样，风能、太阳能、地热能以及核能，是可以直接从自然界获得的。这些可以从自然界直接获取的能源，统称为**一次能源**。我们使用的电能，无法从自然界直接获取，必须通过一次能源的消耗才能得到，所以称电能为**二次能源**。

图17.1-4　木柴提供了生物质能

　　人类生活中,还广泛利用食物等生命物质中存储的化学能。这类由生命物质提供的能量称为**生物质能**。

　　化石能源、核能会越用越少,不可能在短期内从自然界得到补充,所以它们属于**不可再生能源**。而水的动能、风能、太阳能、生物质能,可以在自然界里源源不断地得到,所以它们属于**可再生能源**。

图17.1-5　食物提供了生物质能

石油危机和能源科学

　　石油是世界上许多国家的主要能源。盛产石油的中东国家是发达国家主要的石油供应国。

　　1973年,爆发了第四次中东战争。由此引发了西方国家第一次石油危机。1980年,中东两个石油大国伊朗和伊拉克之间爆发战争,两伊战争猛烈冲击世界石油市场,引发了第二次石油危机。

　　两次石油危机在全球范围内引起了人们对能源问题的思考。例如,以石油作为经济发展的支柱是否可靠？以化石燃料为主的能源结构还能支撑多久？由能源问题引发的能源科学的崛起，是人类进步的又一表现。它不仅研究能源的开发、利用和保护，而且还研究涉及生态环境、人口控制、社会经济可持续发展的一系列重大问题。

动手动脑学物理

1.调查自己家庭目前的能源使用状况和能源使用的变迁。必须说明使用了哪几种能源、每种能源的特点和类别、每种能源的计量单位及意义、每个月各种能源的大约使用量。

2.根据已学过的地理知识和找到的资料，在图17.1-6中标出主要产油区(用▲表示)、产煤区(用■表示)和天然气井(用△表示)所在的区域。

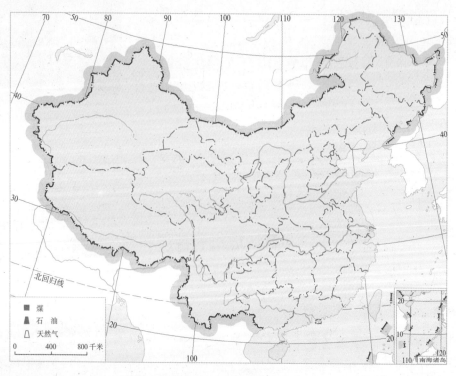

图17.1-6　标出石油、煤炭、天然气的主要产区

3.结合实例说明不可再生能源和可再生能源的特点。

二　核能

原子、原子核

　　一切物质由分子组成，分子又由原子组成。有些物质的分子就是一个原子。原子十分小，它的直径不到1nm。原子由质子、中子、电子三种粒子组成。质子带正电荷，电子带负电荷，中子不带电。质子和中子的质量比电子大得多，挤在处于原子中心，构成非常小的原子核，就像几颗豆粒挤在大广场中央一小块弹丸之地内。

> 关于原子结构，请复习第十一章第一节。

核　能

　　质子、中子依靠强大的核力紧密地结合在一起，因此原子核十分牢固，要使它们分裂或重新组合是极其困难的。但是，一旦使原子核分裂或聚合，就可能释放出惊人的能量，这就是**核能**（**nuclear energy**）。

裂　变

　　1938年底，科学家首次用中子轰击比较大的原子核，使其发生**裂变**（**fission**），变成两个中等大小的原子核，同时释放出巨大的能量。1 kg铀全部裂变，释放的能量超过2 000 t煤完全燃烧时释放的能量。

　　怎样才能使裂变继续下去？

演　示

　　将火柴搭成图17.2-1所示的结构，点燃第一根火柴后，观察所发生的情况。

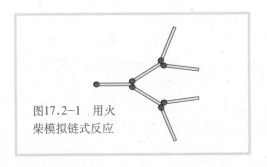

图17.2-1　用火柴模拟链式反应

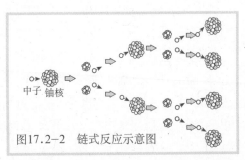

中子　铀核

图17.2-2　链式反应示意图

　　用中子轰击铀235原子核，铀核分裂时释放出核能，同时还会产生几个新的中子，这些中子又会轰击其他铀核……于是就导致一系列铀核持续裂变，并释放出大量核能。这就是链式反应（**chain reaction**）。

　　核电站利用核能发电，它的核心设备是核反应堆。核反应堆中发生的链式反应，是可以控制的。

　　链式反应如果不加控制，大量原子核就会在一瞬间发生裂变，释放出极大的能量。原子弹爆炸时发生的链式反应，是不加控制的。

图17.2-3　正在安装的核反应堆。1942年人类利用核反应堆第一次实现了可控的铀核裂变。当时的核反应堆的功率非常小，大约需要260座这样的反应堆才能点亮一只40 W的灯泡。然而，这是人类利用核能的关键一步。今天，全世界已经建成了几百座核电站，核电发电量接近全球发电量的1/5。

图17.2-4　原子弹爆炸。在人类实现可控核裂变大约3年，即1945年，利用不可控核裂变制造的毁灭性武器——原子弹爆炸了。

聚　变

　　除了裂变外，如果将某些质量很小的原子核，例如氘核(由一个质子和一个中子构成)与氚核(由一个质子和两个中子构成)，在超高温下结合成新的原子核，会释放出更大的核能，这就是**聚变**(**fusion**)，有时把聚变也称为热核反应。

　　大量氢核的聚变，可以在瞬间释放出惊人的能量。

　　如何实现聚变，如何利用聚变释放的核能，科学家正在积极地探索着。海水中蕴藏着丰富的、可以实现聚变的氘核。科学家预言，通过可控制聚变来利用核能，有望彻底解决人类能源问题。愿同学们今后对此作出贡献。

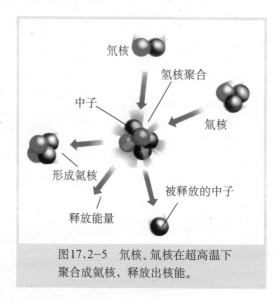

图17.2-5　氘核、氚核在超高温下聚合成氦核，释放出核能。

核电站和核废料处理

核反应堆是通过可控裂变反应释放核能的设备。反应堆内的铀核发生裂变时，会释放能量，也会产生放射线。如果放射线泄漏到反应堆外面，会对人和其他生物造成伤害，所以核反应堆都封闭在一个厚厚的钢筋混凝土壳中。

世界上曾经发生过几次核电站的核泄漏事故。此后，核电站的安全性得到高度重视。为了安全，科学家们制订了严格的安全措施和安全标准。一般情况下，如果核电站不遭到外来袭击，核泄漏是不会发生的。

核电站使用过的核燃料称为核废料。由于核废料还具有放射性，一般深埋在人烟稀少的地方。某些发达国家将核废料运送到其他国家去埋放，引起了环境保护者的广泛抗议。

图17.2-6 切尔诺贝利核电站（在乌克兰境内）的一个反应堆于1986年发生严重事故，造成核泄漏。切尔诺贝利市民已全部迁移，该市已成一座空城。该核电站于2001年全部关闭。

核电站能给那些水利资源、化石能源缺乏的地区提供电能，也给人类解决能源危机带来希望。在不可再生能源日趋珍贵之时，适度发展核电是人类的一种选择。

动手动脑学物理

从电视、科普读物及因特网上寻找有关核能和核电的内容，写一篇1 000字左右的科学短文。你的短文应该包含以下关键词：

①裂变反应(或聚变反应、链式反应)；

②反应堆；

③放射性。

短文不能简单重复课文中的内容，你可以就其中某个感兴趣的问题集中寻找某方面的资料。例如：第一次可控核裂变反应或原子弹的研制和投放，核安全等。你的短文也可以涉及相关的社会、历史、地理知识，并要阐述你对有关主题的观点。

提示：可以按下面的方法从因特网上查找有关核电的信息。

在任何一个具有搜索功能的网站，在"搜索"栏目中键入"核电"，选择"新闻"(或"网站"、"网页"、"其他")，进入后点击相关的条目，就能找到有用的信息。

三 太阳能

太阳——巨大的"核能火炉"

太阳距地球1.5亿千米，它的直径大约是地球的110倍，体积是地球的130万倍，质量是地球的33万倍，核心的温度高达1 500万摄氏度。在太阳内部，氢原子核在超高温下发生聚变，释放出巨大的核能。因此可以讲，太阳核心每时每刻都在发生氢弹爆炸，比原子弹爆炸的威力更大。

太阳核心释放的能量向外扩散，可以传送到太阳表面。太阳表面温度约6 000 ℃，就像一个高温

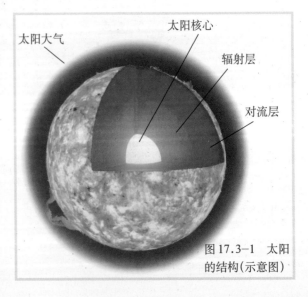

图17.3-1　太阳的结构(示意图)

气体组成的海洋。 大部分太阳能以热和光的形式向四周辐射开去。太阳这个巨大的"核能火炉"已经稳定地"燃烧"了50亿年。目前，它正处于壮年，要再过50亿年它才会燃尽自己的核燃料。 那时，它可能膨胀成为一个巨大的红色星体……

太阳能是人类能源的宝库

太阳向外辐射的能量中，只有约20亿分之一传递到地球，其中又只有不到一半被地球接收。太阳光已经照耀我们的地球50亿年了。 地球在这50亿年中积累的太阳能是我们今天所用大部分能量的源泉。

以化石能源为例。煤、石油、天然气是地球给人类提供的最主要的一次能源。远古时期陆地和海洋中的植物，通过光合作用，将太阳能转化为生物体的化学能。在它们死后，躯体埋在地下和海底，腐烂了。沧海桑田，经过几百万年的沉积、化学变化、地层的运动，在高压下渐渐变成了煤和石油。在石油形成过程中还放出天然气。今天，我们开采化石燃料来获取能量，实际上是在开采上亿年前地球所接收的太阳能。

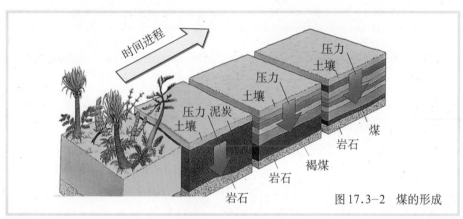

图 17.3-2　煤的形成

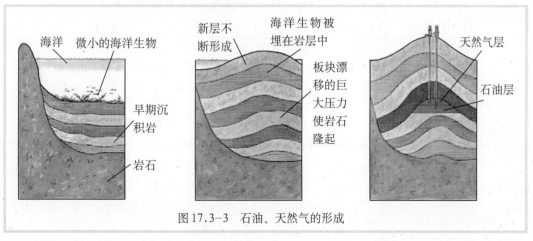

图 17.3-3　石油、天然气的形成

想想议议

根据图17.3—4，说明太阳辐射到地球的能量的利用、转化和守恒的情况。

图17.3—4　地球上的能量是怎样转化和守恒的?

太阳能的利用

人类除了间接利用存贮在化石燃料中的太阳能外，还设法直接利用太阳能。目前直接利用太阳能的方式有两种，一种是用集热器把水等物质加热，另一种是用太阳电池把太阳能转化成电能。

想想做做

自制太阳集热器

1.在一个黑色盘子和一个白色盘子中分别注入约1cm深的冷水，用温度计测量初温。

2.将玻璃板(或塑料纸)盖在盘子上，然后放在阳光下晒一个小时。

3.移开盖板，用温度计测量水温。哪个盘中的水温高？

想一想，为什么要用黑色的盘子？为什么盘子上面要盖玻璃板？

图17.3-5　楼顶上的太阳集热器用来为住户提供热水

图17.3-6　太阳能凉帽。电池板把太阳能转变为扇叶的动能。

平板式集热器的箱面是玻璃，内表面涂黑。箱内温度可比箱外高出100 ℃～200 ℃，从而将集热器管道内的水流加热。

把反射镜做成曲面，它们将阳光反射并会聚，也能获得高温。

太阳电池可以将太阳能转变为电能，供我们使用。太阳电池的成本较高，而且每个太阳电池产生的电压较低，目前只有航天工业大量使用太阳电池。日常生活中仅用于计算器、手表等耗电少、工作电压低的物品。

图17.3-7　试验中的太阳能汽车

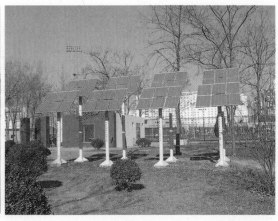

图17.3-8　光电池阵列，能把太阳能转变成电能。

动手动脑学物理

1.不同物体吸收太阳辐射的能力不同。设计并进行一个简单的实验，比较不同物质对于太阳辐射能的吸收能力。你可以从以下物质中选取几种进行实验：

沥青、红瓦、青瓦、镀锌铁板、生锈铁板、铝板、木材。

2.结合地理知识，讨论地球上哪些地区适宜开发太阳能。

3.收集和参阅有关资料，设计一个太阳能住宅方案，要使它冬暖夏凉。画出住宅的图样并从房屋材料、结构、门窗位置、门窗朝向等多方面考虑如何尽量充分利用太阳能、减少散热。

建议几个同学合作完成这个作业。能用计算机作图就更好了。

四　能源革命

人类进步的阶梯

太阳能、风能、地热能等，通常要做转化才能被我们所用。人类历史上不断进行着能量转化技术的进步，这就是所谓的能源革命。能源革命导致了人类文明的跃进。

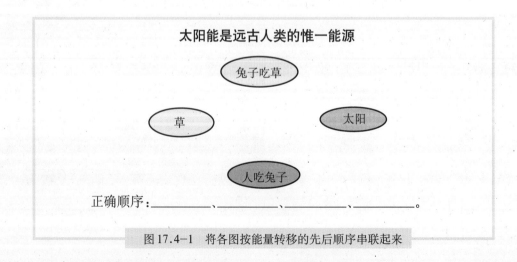

图 17.4-1　将各图按能量转移的先后顺序串联起来

我们沿着能源革命的轨迹来看一看人类文明的进步历程。

远古人类和其他动物一样,只能利用无私的太阳所赐予的天然能源——太阳能。

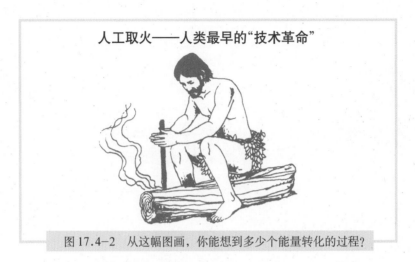

图 17.4-2　从这幅图画,你能想到多少个能量转化的过程?

钻木取火是人类在能量转化方面最早的一次技术革命。从利用自然火到利用人工火的转变,导致了以柴薪作为主要能源的时代的到来。这就是人类第一次能源革命。相对于当时的人口和当时的生产力,柴薪是一种数量巨大、能够方便获取的可再生能源。人类以柴薪为主要能源的时代,持续了近一万年。现在,柴薪仍是某些发展中国家的重要生活能源。

蒸汽机的发明是人类利用能量的新里程碑。人类从此逐步以机械动力大规模代替人力和畜力,它直接导致了第二次能源革命。人类的主要能源由柴薪向煤、石油、天然气等化石能源转化。从18世纪中叶开始的这次能源革命使人类文明在短短二百多年中发生了飞速进步。利用化石燃料的各种新型热机的问世

煤中存储的_____能 ⟶ 蒸汽的_____能 ⟶ 机器的_____能

图 17.4-3　煤的燃烧把锅炉中的水变成水蒸气,水蒸气进入汽缸,推动活塞,带动机器工作。

和使用，使人类对化石能源的依赖日益加深。

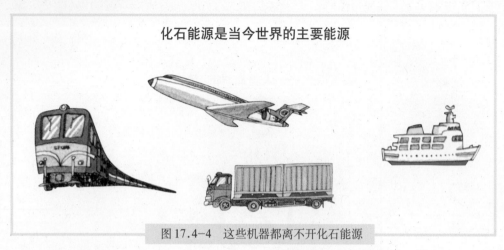

化石能源是当今世界的主要能源

图 17.4-4　这些机器都离不开化石能源

电能是由其他形式的能转化来的二次能源。它最终还要转化为光能、内能、动能等其他形式的能，才能为人类所用。那么，为什么还要使用电能呢？因为电能便于输送和转化。现代社会离不开的各种各

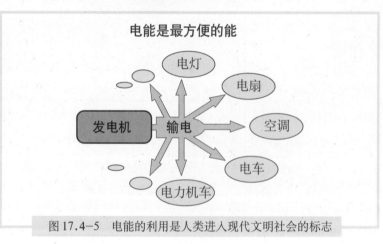

电能是最方便的能

电灯

电扇

空调

发电机　输电　电车

电力机车

图 17.4-5　电能的利用是人类进入现代文明社会的标志

样的用电器，是将电能转化为其他各种形式能量的转化器。

20世纪40年代，物理学家发明了可以控制核能释放的装置——反应堆，拉

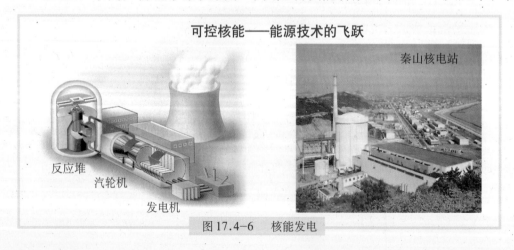

可控核能——能源技术的飞跃

秦山核电站

反应堆

汽轮机

发电机

图 17.4-6　核能发电

开了以核能为代表的第三次能源革命的序幕。几十年来，核电已经成为一种相当成熟的技术。由于核电比火电更清洁、安全、经济，核能在许多经济发达国家已经成为常规能源。

能量转移和能量转化的方向性

既然能量是守恒的，为什么我们还常说要节约能源呢？

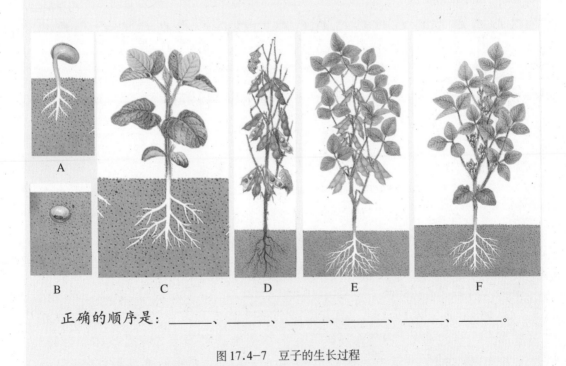

想想议议

下图是按豆子生长过程画的，不过次序已经打乱了。请你按照正确的顺序把编号填在空白内。相反顺序的情况会不会发生？你能举出其他例子说明自然界中类似的现象会（或不会）发生吗？

正确的顺序是：_____、_____、_____、_____、_____、_____。

图17.4-7　豆子的生长过程

电影、电视根据剧情的需要，可以通过技术处理使植物生长、花开的次序逆向，但在现实世界中这是不可能的。自然界的实际过程是有方向性的。

冬天，火炉把自己的内能传递给房间里的空气，供人们取暖；到了春天，能够把这些内能重新收集起来，来年再用吗？显然不能。内能只能自动地从高

图 17.4-8　汽车散失的热不能收集起来再利用

温物体转移到低温物体，不能相反。否则就会引起其他的变化，消耗别的能。

汽车制动时，由于摩擦，动能转变成了地面、空气的内能，这些能量能够自动地用来再次开动汽车吗？显然不能。这些能量虽然没有消失，但是我们不能利用它。

能量的转化、能量的转移，都是有方向性的。我们是在能量的转化或转移的过程中利用能量的，因此，不是什么能量都可以利用。能源的利用是有条件的，也是有代价的。有的东西可以成为能源，有的却不能。

灾害——失控的能量释放

能量的转化和使用，使人类获得了生活的方便和舒适，有时也会酿成灾害。

火灾是一种典型的失控能量释放。发生火灾时，各种易燃物，如木材、易燃气体、燃料等，内部存贮的化学能很快被释放出来，转化为物体的内能，给生命财产造成重大损害。

大部分火灾是由于不遵守安全规则引起的。以下是几例震惊全国的重大火灾实例。

●1987年5月6日至6月2日，黑龙江省大兴安岭发生森林大火。林火燃烧26天，漠河县城、9个林场、70万公顷森林、85万立方米已伐木、2 488台设备等，付之一炬，死193人，灾民5.6万人，直接经济损失15亿元。

直接原因：乱丢火种，将未熄灭的烟头丢在草丛中。

●2000年河南焦作娱乐场大火。

直接原因：输电线破损和超负荷运行。

目前许多城市居民使用煤气、天然气为燃料。气体的燃烧更要严格

图17.4-9　庞贝古城（Site of Pompeii）。古罗马城市，位于今天意大利的南部，始建于公元前6世纪，公元79年毁于维苏威火山大爆发。由于被火山灰掩埋，街道房屋保存比较完整，从1748年起考古发掘持续至今，为了解古罗马社会生活和文化艺术提供了重要资料。

控制，一旦失控，顷刻间燃料便会释放大量能量，引起爆炸。

自然界往往也会在短时间内释放出惊人的能量。火山爆发、地震、雪崩、海啸、雷电都是目前人类无法控制的能量释放现象。这些自然灾害每年都给人类造成重大损失。

问题：设想某天你放学回家，正准备打开厨房门时忽然闻到一股强烈的煤气味从门缝散发出来。你应该立即做哪两件事，千万不要做哪两件事？

动手动脑学物理

1.分析汽车（拖拉机）中燃料释放内能的去向，讨论提高效率的可能方法。

2.调查本地历史上火灾发生的事例，从能量转化的角度分析其成因并讨论如何防止火灾。

3.指出你生活中存在哪些浪费能源的现象，可以采取哪些节能措施。

五 能源与可持续发展

21世纪的能源趋势

人类生活、生产、学习、研究都离不开能源的消耗。由于世界人口的急剧增加和经济的不断发展，能源的消耗持续增长。特别是近三四十年来，能耗增长速度明显加快。如果把全世界的能源消耗量折合成热值为2.93×10^7 J/kg的标准煤来计算，1950年为26亿吨，1987年为110多亿吨，2000年超过130亿吨。目前作为人类主要能源的化石能源，能否取之不尽、用之不竭呢？

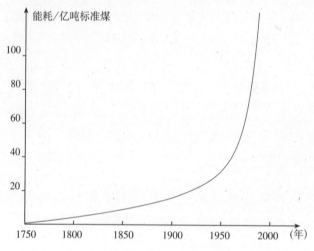

图17.5-1　两个多世纪以来，人类能源消耗急剧增长。

能源消耗量这样迅速增长，会不会出现"能源危机"？人类能够解决能源消耗迅速增长这个问题吗？

能源消耗对环境的影响

人类在耗用各种能源时，不可避免地会对环境造成影响。

想想议议

在耗用各种能源时，对环境是否会造成破坏呢？在下表中，用"√"表示大量耗用该类能源对环境会有明显破坏，用"×"表示对环境不会造成明显破坏。

产生的环境问题＼能源种类	石油和天然气	煤	水力发电	核能	柴薪
空气污染					
废物					
有害辐射					
水土流失和沙漠化（破坏生态平衡）					

图 17.5-2　一座 10×10^6 kW 的燃煤电厂，每年燃煤约 3.5×10^6 t，向大气排放二氧化碳、二氧化硫、微尘及其他致病的有害物质可达 1.09×10^6 t。

图17.5-3　人类活动排入大气的酸性气体形成的酸雨，可致水、土壤酸化，对植物、建筑物、金属构件造成危害。图上的汉白玉石柱已被严重腐蚀!

　　人类在能源革命的进程中给自己带来了便利，也给自己造成了麻烦。目前石油、煤炭占了能源的绝大部分，而且年消耗量在不断增长。大量燃烧化石能源势必造成空气污染和温室效应的加剧。一些欠发达国家过分依靠柴薪能源，加剧了水土流失和沙漠化。总之，人类不应当无限制地向大自然索取，我们必须在提升物质文明的同时，保持与自然、环境的和谐与平衡。

未来的理想能源

　　未来的理想能源要能够大规模替代石油、煤炭和天然气等常规能源。它必须满足以下几个条件：第一，必须足够丰富，可以保证长期使用；第二，必须足够便宜，可以保证多数人用得起；第三，相关的技术必须成熟，可以保证大规模使用；第四，必须足够安全、清洁，可以保证不会严重影响环境。

同学们都是未来理想能源的探索者和使用者。

动手动脑学物理

1.你认为风能、太阳能、核能……以及你所想到的可能的能源，哪些有可能成为今后的理想能源？

2.在你生活的地区是否适宜开发可再生能源？为什么？

3.收集有关资料和数据，就燃烧化石燃料和大气污染、温室效应的关系，写一篇1000字以内的小论文。

4.调查你周围使用能源中的不安全因素及其对环境的影响，提出几种可行的改进措施。

5.科学作文：能源与我们的生活。

我还想知道

★太阳的能量释放完了该怎么办？

★

★

索　引

（名词后面的数字是它第一次出现的页码）

后 记

我们在根据教育部制定的各科《义务教育国家课程标准（征求意见稿）》编写义务教育课程标准实验教科书时，得到了许多教育界前辈和各学科的专家学者的帮助和支持。在本册教科书终于和课程改革实验区的学生见面时，我们特别感谢担任这套教材总顾问的丁石孙、许嘉璐、叶至善、顾明远、吕型伟、梁衡、金冲及、白春礼，感谢担任编写指导委员会主任委员的柳斌和编写指导委员会委员的江蓝生、李吉林、杨焕明、顾泠沅、袁行霈，感谢担任学科顾问的阎金铎、董振邦，并在此感谢对这套教材提出修改意见、提供过帮助和支持的所有专家、学者和教师。

课 程 教 材 研 究 所
物理课程教材研究开发中心

谨向为本书提供照片的人士致谢

第十一章 章首图 Corel Corporation／11.1-1日本小学馆出版社／11.1-2日本小学馆出版社／11.1-4日本教育出版株式会社／11.1-5 张颖／11.1-11 中国科学院化学研究所／11.1-12 Dorling Kindersley Ltd.／11.2-1 朱京／11.2-3 NASA ／第十二章 章首图 Corel Corporation／12.1-4 甲 Corel Corporation，乙 J. Scott Applewhite／12.2-3 Corel Corporation／12.2-4乙 P.Paviainen，丙 Ben & Miriam Rose／12.3-5 张颖／日晷 朱京／12.3-6 张颖／12.5-1右上 朱京／12.5-6 李文河／12.5-7 甲 张颖／第十三章 章首图 Corel Corporation／13.2-2 Corel Corporation／13.3-8 新华社／13.3-9 Corel Corporation／13.4-1 朱京／13.4-6 Corel Corporation／13.4-8 北京青年报社／13.5-7 Helmut Gritscher／13.5-9 Carolyn A. McKeore／第十四章 章首图 Corel Corporation／14.1-1光复书局股份有限公司／14.1-2 新华社／14.1-5 Dorling Kindersley Ltd.／14.1-6 张颖／14.3-1 张颖／14.3-5丙 张颖／做马德堡半球实验 方兴／14.5-1 张颖／14.5-2 张颖／第十五章 章首图 Corel Corporation／15.4-4 甲 Corel Corporation，乙 Harold Edgerton／15.4-6 ZEFA照片图书馆／15.5-7 张颖／第十六章 章首图 Corel Corporation／16.2-3 左Robert Harding Pictrue Library，右Alan Gurmey／16.2-6 Mark Newman／16.2-7 Corel Corporation／16.2-8 Corel Corporation／16.4-2 Dorling Kindersley Ltd.／16.4-5 张颖／16.5-2 C. E. Miller／第十七章 章首图 Corel Corporation／17.1-2 Richard Folwell／17.1-3 Dorling Kindersley Ltd.／17.1-4 ZEFA照片图书馆／17.1-5 ZEFA照片图书馆／17.2-3 《人民画报》社／17.2-4 Robert Harding Picture Library／17.3-5 张颖／17.3-6 张颖／17.3-8 张颖／17.4-9台湾地球出版有限公司／17.5-2 ZEFA照片图书馆／17.5-3 王直华